バカに唾をかけろ

呉 智英
Kure Tomofusa

小学館新書

バカに唾をかけろ

目次

第三部 ● 通説を疑え

まえがき

一九七〇年十一月二十五日、東京市谷《いちがや》の自衛隊東部方面総監部で三島由紀夫が自衛隊員に決起を呼びかけ、割腹自決した。これは日本のみならず世界中に衝撃を与えた。その時、私はまだ大学生であった。私は三島の政治思想に賛成ではなく、その小説も好みではなかった。ただ、その文芸批評、文明批評には評価すべきものがあると思っていた。事件の四ケ月前、サンケイ新聞（現、産経新聞）に寄稿した小論「果たし得ていない約束」は、発表のかなり後に読んだのだが、三島の割腹の真情に通じるものがあると知った。

三島は、こう書いている。

「私はこれからの日本に大して希望をつなぐことができない」「日本はなくなって、その代わりに、無機的な、からっぽな、ニュートラルな、中間色の、富裕な、抜目がない、或《あ》る経済的大国が極東の一角に残るのであろう」

これは当っていると思う。半世紀後の日本人の精神、文化文明は、ほぼこんな風なのだ。三島はこの小論で、また自衛隊での呼びかけで、日本人を覚醒させたかったのである。

だが、三島をよく理解しているアメリカのある文学者は、三島をむしろ冷やかに見ている。ヘンリー・ミラーの『三島由紀夫の死』（飛田茂雄訳）である。これは三島自決の翌一九七一年、十月から十一月にかけて「週刊ポスト」に全五回連載された。私は数年前にこれを知った。そこにこんな一節がある。

「三島はほんとうに自国民の行動を変えようと望んだのか。つまり、彼は根本的な変革なり、真の解放なりを本気で考えていたのだろうか」「三島は高度の知性に恵まれていた。その三島ともあろう人が、大衆の心を変えようと試みても無駄だということを認識していなかったのだろうか」「かつて大衆の意識変革に成功した人はひとりもいない。アレキサンドロス大王も、ナポレオンも、仏陀も、イエスも、ソクラテスも、マルキオンも」「それには成功しなかった。人類の大多数は惰眠を貪《むさぼ》っている」「おそらく原子爆弾が人類を全滅させるときにもまだ眠ったままだろう」「大衆を」「殺戮に駆りたてたりすることはできる。しかし、彼らを目ざめさせることはできない」

ああ、そのとおりだ。大衆を覚醒させることはできない。煽動することならできる。デマによって、啓蒙によって、教育によって。

私の前著『日本衆愚社会』で憲法学者木村草太がAKB48を相手に選挙・選挙権を啓蒙する愚劣なレクチャー企画をしたことを批判しておいた。この企画で木村草太と交互に講師を務めたのが、二〇一九年あいちトリエンナーレで批判を浴びた津田大介である。このイベントもまた大衆を煽動する啓蒙の一種だと言える。

木村草太は今年四月から朝日新聞社の月刊誌「一冊の本」に「『差別』のしくみ」の連載を開始した。その初っ端《しょっぱな》から唖然とした。

「法学界でもその〔差別の〕定義は難題で、『差別』の語が『区別』と同義に使われることもしばしばだ。しかし、『差別』と『区別』とを同義とするのは、無理がある」

無理なんかあるものか。差別と区別は同義なのだ。法学界でも正しく使われ、仏教界でも正しく使われている。ただし、仏教語では唐音で「しゃべつ」と読むことが通例である。法学界、仏教界以外でも、当然ながら差別と区別は同義に使われる。ビジネス界でも「商品の差別化」があり、国際政治・軍事の世界では「無差別爆撃」が議論される。もちろん、商品の差別化は推奨され、病院が差別なく爆撃されることは非難される。差別はしばしば善であり、しばしば悪である。

木村草太は、この程度のことも知らない。いや、知っていて黙っているのかもしれない。自分の信奉するイデオロギーの方に大衆を先導、煽動するためだ。

三島由紀夫が予言した、否、予言さえできなかった腐った時代が到来しつつある。大衆も知識人もバカまみれ、バカ汚染である。

こんな時代に心ある人のできることは何か。

バカを痛罵することだ。

バカに痛罵をかけろ。

バカに唾をかけろ。

本書は「週刊ポスト」に隔号連載した時評コラムの二〇一八年六月十五日号から二〇二一年四月九日号までを収録してある。そのうち、言及した原典の確認が不十分だった回は省き、その他の回は字句の修正・加筆をほどこした。やや長めだった二回以外は補論を付した。また洋泉社新書y『人権を疑え！』から拙稿二篇を再録してある。これも修正・加筆がある。どの篇も末尾に初出日付を記した。

第一部

時代を疑え

スケベ人間って言ってみろ

「週刊新潮」に医師で評論家の里見清一がエッセイ『医の中の蛙』を連載している。二〇一八年五月三十一日号のタイトルは「スケベオヤジは死なず」。報道が相次ぐセクハラ事件を論じ「オヤジはすべてスケベであり、世の中はそれを利用しようという企みに満ち満ちている」とする。確かに、ポルノ産業だろうと出版界だろうと「スケベ根性を利用」している。好色を「完全に排除した人間関係」は存在しない以上、これを認めた上でその品格を保たねばならないという論旨である。

まさにその通り。好色にも品格が必要だし、スケベオヤジの利用、いや悪用にも警戒が必要だろう。

同年三月に出た早瀬圭一『老いぼれ記者魂』(幻戯書房)を読むと、実際にスケベオヤジを利用しようと企んだハニートラップ事件があるのだと分かる。苦言を呈すると、この本は書名がよくない。この書名では老記者のジャーナリズム批判の本のように読める。だが、本書は一九七三年に起きた青山学院大学春木教授事件の真相を一記者の立場から半生かけて追った記録である。

事件を知る人は、もう六十歳以上だろう。しかし、青学の教授が教え子の女子学生を強姦したとして逮捕された事件は、当時大きな波紋を呼び起こした。教授は無実を訴えたが懲役三年の実刑判決を受けた。当然職を失い、家庭も崩壊。刑期を終えた後も、無実を主張し続け、小さなアパートで孤独な生涯を終えた。

だが、事件直後から冤罪説はささやかれていた。そもそも強姦被害を訴えた女子学生の行動が不審だったし、事件の背後には大学内の権力闘争や闇社会の怪人物の暗躍もあった。スケベ根性を利用された悲劇とするのが真相だろう。

スケベ人間を活用した例もある。

オランダのハーグの近郊にスケベニンゲンという海辺の町がある。カデンヌの小説『スケベニンゲンの浜辺』やゴッホの『スケベニンゲンの海の眺め』で知られる観光地だ。Scheveningenという地名はスヘフェニンゲンとするのが正しいらしいが、日本人にはこの発音が難しく、スケベニンゲンで通っている。この名のレストランも銀座にある。ところが、この地名は隣国のドイツ人にも発音が難しく、彼らはシュフェニンゲンと言う。

第二次大戦では、オランダはロッテルダムがナチスドイツの爆撃を受けている。海に面したスケベニンゲンにも、ナチスの工作員が潜入していた。様子の怪しい男を見つけると、オランダ市民は問いつめる。「スケベニンゲンって言ってみろ」。「えーと、シュ、シュフエニンゲン…」。「ナチス野郎だ!」。工作員は市民の袋叩きにあった。オランダではナチスドイツ識別法となったという。

日本ではこれが逆の悲劇になった。一九二三年の関東大震災に際し朝鮮人が暴動を起こしたというデマが流れ、多くの朝鮮人が虐殺された。その時は朝鮮人に不得手な発音が悪用された。人間は何事も良い方にも悪い方にも利用する。好色だけのことではないのだ。

(二〇一八・六・十五)

[補論]

オランダへ潜入したナチス工作員の場合は悲劇といえば悲劇である。しかし、こんな例もある。

私はかなり前からプロレタリア芸術・プロレタリア文学の再評価をとなえている。その芸術理論が正しいと言いたいのではない。全く逆に、その基盤にあるテーマ主義からの脱却を主張したいのだ。ショスタコーヴィッチの音楽は社会主義推進をテーマにしながら、社会主義潰滅状態の現在なお聞く人に感動を呼び起こすではないか。テーマで作品を評価することはできないのだ。そして、テーマ以外の何かで、プロレタリア芸術はすばらしい。

戦前に活躍したプロレタリア文学者に黒島伝治がいる。私は五十年ほど前の学生時代に黒島の『雪のシベリア』という短篇を読んで、予期しなかった感動をおぼえた。シベリア出兵で冬のロシヤに赴いた日本軍兵士の話である。本隊から離れて雪原を歩いていると、パルチザンに遭遇した。あわてて逃げ惑いながら、片言のロシヤ語で「スパシーチェ（助けて）」と言うつもりで「スパシーバ（ありがとう）」と叫ぶ。銃撃を受けながら、兵士は、スパシーバ、スパシーバと言って息絶える…。

その滑稽さが悲劇を際立たせている。スケベニンゲンと言えずに袋叩きにあうナチス工作員には、単に滑稽感しかない。この違い。テーマの違いではないはずだ。

この本はこう読め

二〇〇九年に出版された加藤陽子『それでも、日本人は「戦争」を選んだ』（朝日出版社、現新潮文庫）は、翌年小林秀雄賞を受賞し、今なお読み継がれている。私も当時読んで得るところがいくつかあった。その一つは、歴史に関してではなく、教育についてだ。

本書は、書名通り日本近代の戦争を論じたもので、生徒相手の討議をまとめた講義録である。生徒相手？　加藤は東大教授だから、生徒相手はおかしい、東大に学生はいるけれど生徒はいないはずだ、と思う読者もあろうが、ここは生徒でいい。某名門中高一貫校の生徒を相手にした特別講義なのだ。

この討議が驚異的である。

加藤が質問する、「華夷秩序ってわかりますか」。生徒「朝貢と同じ？」。加藤「大体わかってますね」。別のところで加藤が問う、「日清戦争後、国内の政治で何が最も変わったでしょう」。生徒「『アジアの盟主としての日本』という意識が国民に生まれた」。加藤がうなずいて「そうです」

繰り返すが、受講生は大学生ではない。中高生だ。中学生も含まれている。この講義は夏休みに催されているから、最年少の生徒は四ケ月前までは小学生だったろう。

華夷秩序と問われて朝貢と答えられる大学生が日本中にどれだけいるか。私が教えたことのあるFランクの大学では、八画以上の漢字が書けない学生がクラスに二人いた。当然、華も秩も貢も書けないし、そもそも「かいちつじょ」も「ちょうこう」も知らない。

中学生の段階で超えがたいほどの差がついているのだ。

かなり前、私は加藤とは別の東大教授と対談したことがある。学識豊かな優れた人物だった。対談の休憩時間の雑談で、出身高校を聞いたら加藤の受講生とは別の名門中高一貫校の名を挙げた。中学の夏休みの課題図書は森鷗外だった、と彼は言った。私は、さすがですね、『山椒太夫』か『高瀬舟』ですか、と聞いた。すると彼は首をふって言った。『渋江抽斎』です。面白かったので、ついでに『伊沢蘭軒』も読みました。『北条霞亭』は少し後、中学三年生の時だったかな。

ああ驚いた。史伝三部作を私が読んだのは、大学卒業後二、三年してからだ。それでも読んでいてよかった。話が合わせられなかったら大恥だった。

大学受験では「暗記」を問うのではなく「思考力」を問うべきだ、などと良識家が言う。しかし、画数の多い漢字でも無理やり丸暗記しなければ、思考力さえつかない。十八歳人口の半数が大学に進む時代とは、漢字の丸暗記さえできない大学生を作る時代ということである。

さらに、思考力を身につけるには公的な義務教育では足りず、高額な授業料を払って名門私立校に行かなければならない時代であることをも意味する。これができるのは、知的な富裕層であり、しかも世代間継承によって、階層が固定する。思考力ある支配層の固定化。古典的な階級社会とは違う階級社会が出現しつつある。

（二〇一八・六・二十九）

［補論］

別のFランク大学での体験。友人の教授の依頼で、某大学で特別講義を一回やった。「最近の大学生は基礎ができていないから、算数の九九も言えないって、よく批判されるけどね、そんなことはないよな」

テーマの現代文化論に入る前に、つかみとして私はそう切り出した。学生たちは困惑したように、そわそわしている。ははあ、当てられるかもしれないと不安なのだ、と気づいた。

そこの君。私は一人の女子学生を指さした。君は九九は言えるかな。彼女は、困ったような恥じらうような声で、ええっ、と言った。その顔つきじゃ、七の段は無理なようだね、と私は挑撥してみた。すると、彼女は憤然として言った。

「あたしだって、言えるの、あるもん」

何？

「七一が一！」

彼女は昂然《こうぜん》とそう言い、学生たち全員から安堵のため息が漏れた。私は『高瀬舟』を素材に安楽死の話をするつもりだったが、何か別の話をした。それが何だったか、憶えていない。

「分断社会」への忖度

前回書いたことの続きが今回の話である。前回私は、教育の差が現代的階級社会を生んでいる、と書いた。教育の差は小中学校段階で超えがたいほどのものになり、しかもそれは教育費の差でもあり、世代的に継承される。

これは私の特異な見解ではない。気づいている人は他にもいるのに一種のタブーとなって発言しにくい。これも忖度社会の一現象なのだが、政治家への忖度よりタチが悪い。政治家への忖度は利権によるものだ。一方、こちらの忖度は「良識」によるものだからである。

吉川徹の近著『日本の分断』（光文社新書）を読んだ時もそう思った。

吉川は統計によって社会分析をする計量社会学者だ。これまでの著作のほとんどが学歴に関するものだし、この本もそうである。しかし「良識」を忖度したのか、何か微妙な表現だ。書名もそうだが、サブタイトルにも「非大卒若者たち」とあって「レッグス」とふり仮名がしてある。市民運動団体の名前かと思った。

教育とその結果としての学歴は、本来、江戸期までの身分制社会を打破するためのものであった。福沢諭吉が『学問のすゝめ』で説いたのもそこである。ところが、吉川の指摘するように「不平等を解消する手段であったはずの学校教育」が「地位の中核」を占めるようになった。福沢の理念を実現するはずの慶應大学がその一端を担う逆説である。

吉川は先行研究に言及しつつ、分断された側に見られる一種の自足感も指摘している。統計を使った分析だけに説得力がある。しかし「現代日本は、学歴分断を言葉にすることをタブーと」している。それ故、用語にも表現にも気をつかう、というのである。

ところで、私には吉川のような計量社会学者にこそ調査研究してもらいたいテーマがある。

十年以上前から、新聞や雑誌に何度か書いてきた「暴走万葉仮名」だ。漢字の無理読みで付けた子供の名前のことで、暴走族の「夜露死苦」や「仏恥義理」と同系のものなので、そう名付けた。「今鹿《なうしか》」「雅龍《がーる》」「一二三《どれみ》」あたりはまだしも、偏《へん》の肉月の意味も理解せず、月光の意味で使った「朓《あかり》（膀胱だよ）」「腥《すたあ》（なまぐさだぞ）」「腟《らいと》（月光の射す寝室？・）」

なんてのもあるらしい。

前回言及した森鷗外は長男を「於菟《おと》」と名付けた。ドイツ風の「オットー」を漢籍にある「於菟（虎の意味）」に当てた。寅年生まれだからである。これはもちろん暴走万葉仮名ではない。

暴走万葉仮名の子供は、名門幼稚園の入試でははねられるし、将来就職試験の時も同じ憂き目にあう。事件報道でも、暴走万葉仮名の子供や少年少女をよく見るような気がする。相関関係があるのかないのか、計量社会学者の出番だろう。しかも、自足感や世代継承の格好の証例にもなる。学歴分断社会化に警鐘を鳴らす重要な研究だと思うが、手をつけない。研究者もジャーナリストも何かを「忖度」しているらしい。

（二〇一八・七・十三）

［補論］

森鷗外の長男の名前「於菟《おと》」が「虎」の意味であることは論語を読んでいて知った。朱子『論語集注《しっちゅう》』公冶長《こうやちょう》篇第十八章（岩波文庫『論語』等では第十九章）の注釈には次のように出ている。

「令尹《れいいんハ》官名《かんめい》」「子文《しぶん》、姓鬭《ハとう》、名穀《ハとう》於《お》菟《と》」（令尹子文というのは）「令尹は役職名、子文の姓は鬭、名は穀於菟」「穀」は諸解説書で「とう」と読むが「こう」「こく」「どう」とも読む。楚《そ》の方言で「乳」「養う」という意味だという。「於菟」も楚の方言で「虎」。虎に育てられたという伝説にちなむ。ローマの建国英雄ロムルスとレムスが狼に育てられたとするのと同種の話であろう。

大正・昭和戦前期に活躍した大衆文学作家に三上於菟吉がいる。『雪之丞変化《ゆきのじょうへんげ》』が代表作で映画にもなっている。この於菟吉にも「虎」が入っているが、生年は一八九一年で卯年であり、干支《えと》にちなむものではない。

俺も「盲蛇」だけど

いささか気が重いのだが、批判しておかなければならない。朝鮮史研究者の古田博司のことである。古田は、一九八〇年代に登場した研究者で、従来の単純な贖罪《しょくざい》史観論者とは全く違っていた。韓国の現代社会に詳しいのみならず、朝鮮漢文の文献も自在に読みこなす。深い学識から学ぶところは多く、私は大学の比較文化論の授業で古田の著書のプリントを何度も使ってきた。

ところが、ここ数年古田の書くものに奇妙な記述が目につく。論旨や主張ではない。言葉である。ちょうど今店頭に並んでいる月刊誌「正論」二〇一八年八月号に、古田は二本の評論を寄稿している。

一本目にこんな一節がある。引用文のかっこ内は原文のままだ。

「『女の子たちはおなかを減らしているのだ』というアブダクション（類推）と、『みんな好きなだけ注文して食べていいよ』という、ロゴス（言葉）とどちらが先か」

ロゴスlogosは確かに「言葉」だが、アブダクションabductionって「類推」か。英和辞典には「誘拐」と出ている。

二本目にはこんな一節がある。

「ここに米哲学者パースのアブダクション（類推）を加える」

やっと分かった。このアブダクションはパース特有の用語で、induction「帰納」とdeduction「演繹」「推論」に先立つ「仮説的推論」のことだと『20世紀思想事典』に出ている。

なんでこんな面倒くさくて紛らわしい言葉を使うのだろう。

二〇一七年八月刊の『韓国・韓国人の品性』にも、理解に苦しむ言葉が唐突に出てくる。

「大韓民国憲法の前文に『悠久の歴史と伝統（略）』を継承する、というウソがプロトコル（命題）として始めから埋めこまれているからである」

また、同年十一月七日付産経新聞「正論」欄にも、こうある。

「最近私は、民族には『脱落のプロトコル（命題）』があると主張している」

普通、プロトコルは「議定書」「原案」。「命題」ならプロポジションだ。しかし、「命題」

を「命のように重要な主題」の意味に誤用する例が多い。これは「題を命《の》る（述べる）」ことだ。命と題がレ点（返り点）で返るのだ。

古田がここで言いたいのは「プロトコル命題」のことらしい。またも『20世紀思想事典』に頼ると、論証の基礎になる最も基本的な命題だという。ああ面倒くさい。ああ紛らわしい。これでは朝鮮朱子学と一緒だ。

二〇一六年四月号「正論」ではこんなことを書いている。

「（自分は）他分野では素人なので盲蛇《もうじゃ》で言っているに過ぎない」

ルビは原文のままである。「盲、蛇に怖じず」とは言う。無鉄砲なことだ。略して「盲蛇《めくらへび》」とも言う。しかし、「盲蛇《もうじゃ》」では意味が通じない。馬鹿な編集者が気を利かせたつもりで誤ルビしたのかと思い編集部に問い合わせると、すまなさそうに「いや、古田先生の原稿通りで…」との返事だった。偉い先生の原稿なので何も言えなかったのだろうか。

（二〇一八・八・三）

［補論］

「命」は「いのち」の意味で使われることが多いため、「命題」を「命のように最も大切なテーマ」と誤用する例が多い。「至上命題」がその典型である。命題などという言葉は庶民が日常使わないので、中途半端インテリが見栄で使う恥ずべき誤用である。

命題とは「AはBである」という提題のことだ。題を命《の》る、という意味である。「のる」は「みことのり」にも使われているように、「述《の》（べ）る」と解せばよい。

「命」には「口」が入っている。つまり「言う」に関係がある。「命令」は「令《さしず》を命《い》う」である。子供が生まれると、神棚に名前を墨書して貼り出す風習がある。

「命名　太郎」

などとする。この「命名」は「命のように大切な名」という意味ではない。「名を命じる」わけでもない。「名を命《の》る」すなわち「名のる」ということだ。

日本神話の神々は「倭建命《やまとたけるのみこと》」（古事記）のように「命」という敬称がつく。これも「ことば」で「命令」する立場にある存在と解しておけば、おおむねまちがいではない。

プロトコルは、書物の初めにある概論という意味だから「原案」さらに「議定書」という意味に拡大するが、これが「命題」では分かりにくい。専門用語の邦訳には気をつけなければならない。

リアルのMAD

八月には広島・長崎の原爆忌がある。新聞も毎年この前後は特集記事を組む。しかし、二〇一八年六月三十日の朝日新聞に従来見られなかった啓発記事が出た。

「今さら聞けない」というシリーズで、今回は「大陸間弾道ミサイル」特集。見出しは「『核抑止』のための使えない兵器」だ。

「米国と旧ソ連は巨費を投じて、相手が使ったら確実にやり返す能力を高めてきました」

相互確証破壊、略称MAD《マッド》である。一発撃ったら最後、相互が確実に壊滅する。それが恐くて一発も撃てない。故に平和が実現する。まさしく狂気《マッド》の「真実」だ。

続いて、こう説明がある。

「その結果、敵の先制攻撃を押さえ込む『核抑止』を実現し、均衡状態をつくりました」

核兵器を極限（オーバーキル＝過剰殺害）にまで増やし合い、一発も撃てない核抑止効果が実現できた。MADによる「逆説の平和」である。

事実、戦後七十年余、それまでの二度の大戦とちがって、世界中を巻き込む大国間戦争は起きていない。起きたのは、朝鮮戦争、ベトナム戦争など、あくまでも地域的な「代理戦争」である。

ああ、しかし、この語ってはいけない真実を、朝日新聞が啓発記事にするようになったのか。

私自身、核均衡理論の重要性に気づいたのは三十年近い前だ。文章化したのは、その少し後だろう。一九九六年刊の中沢啓治『はだしのゲン』(中央公論社版)の解説ではこれに言及している。どうもこれは大変に勇気のいる発言だったらしいと、最近になって知った。

私は『ゲン』の解説中、こんなことを述べている。『ゲン』の中に一貫して流れる原爆への原初的恐怖と怒りこそこの作品の大きな価値であり、また、これは核均衡論の重要な基盤でもある、と。もし、核兵器の威力が大したものでないと誤解されていたら、すぐに核の撃ち合いが始まるからだ。

一九六〇年前後支那では毛沢東が核兵器は張り子の虎であると主張していた。見掛け倒しだという意味だ。我が支那には六億の民がいる、二億や三億が核で死んでも脅威ではない、という暴論である。こういうMADにはMAD理論は有効ではない。前記の朝日の啓発記事にも「米国と旧ソ連」とだけ書いてある。

だとすれば、実は核アレルギーに代表される感情的反核論の世界的広がりこそが核均衡論の基礎に必要なのである。『ゲン』がその重要な一翼を担っている。

私はそう書いたのだが、共産党系のマンガ評論家紙屋高雪《かみやこうせつ》は、二〇一八年四月に出た『マンガの「超」リアリズム』で、「『ゲン』を高く評価するはずの呉は、驚くべきことに」「核均衡論を肯定的に紹介」と批判する。この批判の初出誌は民主教育研究所の「人間と教育」である。いや、まあ、なんと言おうか。この人たちは、ねぇ。

実は、核均衡論は完璧な理論ではない。そもそもこれは「後で気づいた理論」である。この理論に従って米ソが核開発に狂奔したわけではないのだ。これも歴史の皮肉。

（二〇一八・八・十七／二十四）

［補論］

戦争はいわば工学的・力学的に起きる。企業や工場を運営する理論、システム工学といった方が分かりやすいかもしれない。生産性向上にも安全操業にも、こうした知見が求められる。戦争も、平和への願いだけでこれが防止できるわけではなく、逆に戦争への意欲だけで戦争が勃発するわけではない。それをも一つの要素とするさまざまな力が働いて、戦争が起きたり平和が実現したりする。

陸上自衛隊元幕僚長冨澤暉《とみざわひかる》は『軍事のリアル』（新潮新書）の末尾で興味深いことを指摘している。

「核兵器が恐ろしい兵器であると認識することが、核兵器の『ストッパー』としての意義を高めている。核兵器が恐ろしい兵器であると喧伝することは、世界秩序（平和）のために良いことである」

リアルな軍事学は、空想的反核論をも利用して平和を実現しようとする。

何ともおかしい「歴史的仮名遣い」

愛国保守知識人が日本語を壊すというブラックジョーク

九月だ。日本民族大移動の季節も終わった。故郷で家族・旧友と郷土料理を囲み方言で語り合い笑い合う。あるいは逆に、仕事や学校のため地方に住んでいる人は東京や大阪の故郷に帰り、地方の面白さ珍しさを披露し小マルコポーロの気分を味わったことだろう。日本は意外に広く、言葉も生活習慣も多様なのだ。ただし、その多様はバラバラということではなく、どこかでつながっていて多様なのである。

前に住んでいた町でこんなことがあった。

新聞の集金人が来たので一万円札を出した。少し西国の訛りのある集金人のおじさんは、釣り銭の千円札を渡しながら「ちゃんと読んでね」と言った。私は、そりゃ新聞は毎日ちゃんと読んでるさ、と思い、ウンと返事をした。そして、すぐ気づいた。私は釣り銭を確認して、御苦労様と言って微笑んだ。

いやあ、言葉にうるさい俺としたことが、こんなことにも気づかなかったのか。集金人はお釣りの千円札を「ちゃんと数えてね」と言ったのである。

漢字の「醸」の偏は酉《とり》である。ただし「鶴」などの偏の鳥と区別するため「ひよみのとり」などと呼ばれる。これは「日読みのとり」、十二支の酉である。暦に使われ、日を読む（数える）。「読む」には「数える」の意味がある。暦そのものが「日読《こよ》み」である。二日、三日の「か」と同源だ。

新聞集金人のおじさんの故郷では「数える」を古語の「読む」という。方言の多くが古語であることは、民俗学の祖、柳田国男が『蝸牛考《かぎゅうこう》』などで論じている。

祖国とは国語である

私は、私信などは正仮名遣い（旧仮名遣い、歴史的仮名遣い）で書く。大学卒業後から始めて五十年になる。仮名遣いには、新旧問わず、常にゆれがある。正仮名では「もうすぐ」を「もうすぐ」とするか「まうすぐ」とするか二説ある。私は「まうすぐ」と書く。理由は、私の住む名古屋の方言では「まあすぐ」と言うからだ。

私は右翼でもなければ保守主義者でもない。ただ、日本文化の中に生きて思考している以上、日本語を大切にしなければならないと考えている。日本人を日本人たらしめているのは日本語である。先の柳田国男が、日本文化・日本語を庶民の中にまで分け入って考察したのは、明治近代国家成立の中で、あらためて日本人・日本文化とは何かを考えなければならなかったからだ。また、異色の哲学者E・シオランは「祖国とは国語である」と言っている。

右翼あるいは保守派の人は、どうも私と考えがちがうらしい。

二〇一八年八月八日の産経新聞の書籍広告に、髙池勝彦『反日勢力との法廷闘争―愛国弁護士の闘ひ』が出ていた。なるほど「闘ひ」か。書影のリード文を読むと「司法界は健全か、あるいは歪んでいるか?」。えっ「歪んでいる」だって。「歪んでゐる」だろう。

少し古くなるが、二〇〇八年五月二十二日付産経新聞に名古屋特派員の早坂礼子記者が、チケットなどの買い占めを批判してこんなことを書いている。

「名古屋ではそういう亡者を『たわけ』と呼ぶ」「戯《たわ》けるが名詞化した言葉だが、本来は『田分け』で『先祖伝来の田畑を守らずに小分けしてしまう愚か者』を指した」

「たわけ」は東海圏で、また西日本でも使うが、その「本来は『田分け』」であるはずがない。正仮名で書けばすぐわかる。「たはけ」である。奈良期にも江戸期にもいくらでも用例がある。同じライトでもlightとrightでは綴りがちがい、意味がちがう。これと同じことなのだ。

この「たわけ」た説は、産経新聞の伝統らしい。今年二〇一八年六月六日の同紙連載企画「明治150年」にも、こうある。

「『愚か』の意味で使う『たわけ』という言葉の語源は『分割相続で田を分ける』こと」

記者だけではない。寄稿者もちょっとおかしい。

産経新聞の発行する月刊誌「正論」今年五月号に小川榮太郎が「恋愛至上主義、日本人が死に至る病」を執筆している。その内容はさて措き、仮名遣いが奇妙なのだ。

小川はこう始める。「人口激減といふ日本最大の危機に対し…」

小川は正仮名論者らしい。だが、少し後では、こうだ。

「悲憤に堪えない」(堪へない)

「持ち直している」(ゐる)

まあ、小論のうち二か所や三か所のまちがいは、校正ミスだろう。産経の現校閲部長・清湖口敏《せこぐちさとし》は見識豊かな校正者だが、前任の塩原経央はひどかった。あるいは「正論」の校閲部には前任者の弊風が残っているのかもしれない。

言葉は思考である

私が正仮名遣いを使うようになったのは、若い頃愛読した石川淳の影響である。石川は、自分が正仮名を使うのは「論理」の問題である、とする。この一言にシビれた。シビれたなどと俗語を使うことは、別段日本語を乱すことにはならない。俗語、卑語、外来語を含めて日本語はあるからだ。

石川は言う。

「言う」は正仮名では「言ふ」。この活用は、正仮名ではハ、ヒ、フ、フ、ヘ、ヘ。ハ行四段活用だ。これが新仮名では、ワ・オ、イ、ウ、ウ、エ、エ。ワア行五段活用となる。五十音表を見よ。どこにワア行などというバカげた行があるか。五十音表は活用表でもあるのだ。ワア行と言われて、自分はワアッと驚いた。

その一方で、正仮名遣いには味わいがある、とか、情緒豊かである、とか言う人がいる。そうだろうか。正仮名だろうと新仮名だろうと、味わいのある文章にはどっちみち味わいがある。正仮名にあるのは論理なのだ。

石川淳は思想的にはアナーキズムに近い。同じ正仮名論者でも福田恆存は保守主義である。丸谷才一はリベラル派である。三島由紀夫は石川淳と親しかった。政治思想の左右を問わず、文化の論理を重んじる人たちであった。

何十年も前『古事記』を読んでいて気づいた。皇祖神たちは初めから日本語を話している。ああ、皇祖神より日本語の方が先なのだと知った。日本語こそ日本文化の基礎であり核である。

（二〇一八・九・七）

人権を疑え①

形而上学としての人権思想

「人は右、車は左」は真理ではなく取り決めにすぎない

人は右、車は左。小学校に上がる前から頭に叩きこまれている交通規則である。

人間は心臓を身体の左側に持っている。臓器の中でも最重要の心臓が左側にあるため、利き腕は九割の人が右手である。利き腕が心臓を守るようになっているのだ。すれちがう時も自然に身体の右側を相手に向けたくなる。自動車のようにスピードが出る移動機械を操縦する場合、こうした心理はもっと強く作用する。したがって、人は右、車は左、という規則は、自然の反映、自然の要請である。

と言っていいだろうか。

もちろん、そんなことはない。人右車左はイギリスとその影響下にある国、また日本などに限られており、アメリカやヨーロッパ大陸では逆に人左車右が採用されている。そし

て、このちがいによる交通事故の死亡率が有意の差で観察されるとの報告もない。沖縄は一九七二年の施政権返還まではアメリカの統治下にあった。交通規則もアメリカにならい人左車右であった。施政権返還の後六年を経た一九七八年から人右車左に変わった。ごく一時期にごく一部で混乱はあったものの、それ以後沖縄で交通事故が激増したわけでもなく、また激減したわけでもない。

人は右、車は左。これは確かに重要な規則ではあるけれど、人為的に作られたものであり、自然に準拠したものではない。真理でもなければ普遍的でもない。もしこれを真理であり、普遍的であり、人間の本性《ネイチュアー》のしからしむるものだと主張する人がいたとしたら、その人は馬鹿か狂人か、あるいは何かの意図を持って言っているかだろう。

ところで、私は交通規則の話をしたいのではなかった。人権の話をしようとしているのだ。

人権イデオロギーは朱子学イデオロギーの近似物

中央公論社の「日本の名著」シリーズは、奈良時代から近代までの重要な思想家を網羅したもので、一九六九年刊行以来ロングセラーとなっている。取っつきにくい古典作品は現代語訳で収録され、各巻にはその思想家を専攻する研究者が解説を書き、全体に読みやすくて水準も高い。大学生が教科書・参考書として読むのはもちろんのこと、学者でさえ参照・引用することもある。

そんな「日本の名著」の第十六巻は『荻生徂徠集』である。編集・解説は尾藤正英、江戸思想史研究者としては五指に入る斯界の権威だ。解説文は、二段組で五十五ページと、これだけでちょっとした文庫本一冊になりそうなぐらい堂々たるものである。その結論部、「近代化の二つの側面」と小見出しされたところで、尾藤は、徂徠の近代性を評価して次のように言う。

社会の分業体制の中に各個人を正しく位置づけることが、為政者たる者の使命であるとし、またその与えられた職分に応じ、天命に安んじて、それぞれの職能を発揮することが個人の生き方の基本であるとした徂徠の考え方は、たしかに近代の方向を指向していたとみることができそうである。

こうして徂徠の近代性を一応は評価しながらも、半面、次のような疑問も尾藤正英は投げかける。

しかし、「近代」という観念から私たちが思い浮かべるものには、もう一つの側面がある。それは個人主義・自由主義ないし民主主義といった理念によって代表される側面であるが、これらの理念、あるいはその基礎をなしている基本的人権の観念といったものを、私たちははたして徂徠の思想から導き出すことができるであろうか。

私はこれを読んだ時、憮然となった。私は徂徠の専門家ではない。しかし、専門家の著作によって徂徠の重要性を知り、せめて「日本の名著」でなりとその思想に接してみようと思った。現に、その尾藤正英の解説によって、徂徠の履歴、学風、思想形成などがよくわかった。ところが、結論部で「基本的人権の観念といったものを、私たちははたして徂徠の思想から導き出すことができるであろうか」ときた。

そんなもの、導き出せないにきまっているではないか。そもそも、基本的人権の観念を導き出せなかったら、それが何か悪いことなのだろうか。

われわれは、江戸時代の人がテレビを見ていなかったからといって、それを否定的に評価しない。テレビは二十世紀になってから人工的に発明されたものである。徂徠の生きた十七、八世紀にテレビがないのは当然のことだ。だから、徂徠がテレビを見ていなかろうと、飛行機に乗ったことがなかろうと、これによって徂徠の思想的評価は左右されない。

しかし、仮に徂徠が身近な人の死にも心を動かされないような人間だったとしたら、これはその評価に関わってくる。程度や態様の差はあっても、身近な人の死を悲しむのは自然であり、その分普遍的だからである。

フランス革命による人権宣言より六十年以上も前に死んだ思想家、それも東洋の日本の思想家である荻生徂徠から、基本的人権の観念を導き出せるか否かを問うのは、徂徠はテレビを見たのか否か、と問いつめるのと同じぐらい馬鹿げたことである。

当の徂徠は『経子史要覧』で次のように言う。

「一代には一代の制作あり。世につれて何か変化するものなり」(片仮名を平仮名に改めた)

人為によって制作されたものは、また人為によって時代ごとに変わる。これが徂徠思想の重要な核である。しかし、徂徠が批判した朱子学では、そうではなかった。政治制度、社会イデオロギーは、「制作物」ではない。人為（作為）によらない自然物なのである。つまり、天の摂理の反映、具現化として、政治制度、社会イデオロギーはある。政治の頂点にある人物を「天子」と称するのも、このためである。

人権思想も自らが天の摂理の反映であるかのようにふるまう。「天賦人権説」という言葉がこれをよく象徴している。しかし、天子がそうであるように、人権も「一代の制作」にすぎない。自然ではなく人為である。交通規則の人右車左が、何ら自然に依拠したものではないのと同じように、人権思想も何ら自然に依拠したものではない。

しかし、知ったかぶりの半可通が、心臓が左側にあることを理由に人右車左が自然にかなったものであると主張しかねないように、いや、それ以上に一種の迷信の如く、人権の真理性、人権の普遍性が人々の頭に浸潤《しんじゅん》している。この迷信は相当にたちが悪い。尾藤正英のような官許昌平坂学問所《とうきょうへいざかだいがく》の教授をも呪縛しているからである。この点でも、人権イデオロギーは朱子学イデオロギーの近似物である。

人権宣言はなぜ形而上学的なのか

人権思想は作為的な制作物である。それでいて、自らは、宇宙の摂理と連動した自然の理法であると主張する。こうした人権思想のねじれた性格は、「形而上学的」と評することもできる。

形而上学とは、個々の実在物を超えた真理を研究する学問といった意味だが、その真理なるものの真理なるゆえんは証明できるわけではない。別言すれば、証明できない真理を前提にして構築された妄想体系ということになる。俗に言うイデオロギーである。朱子学(宋学)が形而上学であることは思想史上の常識だが、人権思想が形而上学であることは、奇怪な「二重構造」の中で隠蔽され続けている。この二重構造については後述するとして、人権思想が形而上学であることは、当の人権主義者(のうち誠実な人たち)によっても認められていることだ。

岩波文庫『人権宣言集』は一九五七年の初版以来版を重ねる基礎文献集である。もちろん、この本の編者たちは人権思想の普及・確立を目的としてこの本を刊行した。ところが、その本の解説に、一七八九年フランス革命に際して発せられた「人権宣言」の傾向の第一として「形而上学的傾向」が挙げられているのだ。

人権宣言はなぜ形而上学的なのか。解説者の山本桂一は言う。それは「時間的空間的に限定された諸原理」によるものではなく、証明不能な「普遍的原理」によるものだからである。

「時間的空間的に限定された諸原理」とは、人為的な制作物としての原理という意味である。はじめのほうで述べた、人は右、車は左という交通規則がその好例である。ある国の、ある時代の、交通原理だからだ。もしこれを「普遍的な原理」に基づくものだと主張したら、明らかに形而上学的であろう。

それと同様の形而上学的傾向を、人権宣言の傾向の第一として挙げなければならない。と、私が言うのではなく、『人権宣言集』の編者が言っているのだ。

その形而上学である人権宣言では、証明不能な「普遍原理」として一体何を妄想しているのか。それは「[宣言の]前文における至高の存在Être Suprême」である。

これは英語で言えばSuper Being、日本語では「至高の存在」とも「最高存在」とも訳される。至高あるいは最高の存在なのだから、これは神のことである。しかし、この神はフランス革命の指導者ロベスピエールらが考案した人工神なのである。

われわれは、人工神と言うと、抽象的で理念的ないわば宇宙の原理とも言うべき格言や数式のようなものを思い浮かべがちである。しかし、この最高存在は、新興宗教の御神体と同じく狂熱的な崇拝の対象物であった。フランス革命時、パリのシャンドマルス広場には最高存在を祭る巨大な築山《つきやま》が作られ、そこには依代《よりしろ》の樹が聳《そび》え巫女《みこ》たちが最高存在を称えながら狂ったように踊った。その周りを何万人もの人権に目覚めた民主的な市民たちが歓喜の表情で取り巻いた。パリだけのことではない。シャンドマルスのミニチュア版は、いくつかの地方都市にも分祀されるように築かれ、同じような祭典が行なわれた。その異様な光景を描いた絵をわれわれは美術史の中に何作も見ることができる。

人権宣言は「最高存在の面前で、かつその庇護の下に」(人権宣言前文)発せられたのである。

しかし、人権思想のこうした性格は、小中学校や高校の義務教育・準義務教育の中では決して語られることはない。また、新聞やテレビなどマスコミでもまず語られることはない。人権思想は、改変可能な人工制作物ではなく、人間の本性《ネイチュアー》に基づく不易の真理である、しかるが故に、全世界・全時代に適用さるべき公準であり、人権問題とは、人権の恐怖を論ずることではなく、人権の不徹底を批判することである。常にこのように語られている。

しかし、さすがに大学ではそんな妄想を学問と称することはできない。政治学、社会思想、西洋史など、いくつもの講義が、仮にも学問の名において行なわれる以上、妄想を前提にし、妄想を敷衍《ふえん》するものであっていいはずはない。だからこそ、これらの講義のテキストにしばしば使われる岩波文庫『人権宣言集』では、人権宣言の傾向の第一は形而上学的傾向であるとしているのだ。

そうすると、ここに奇怪な「二重構造」があることが分かるはずだ。教育程度の低い一般民衆には人権思想は不易の真理であると教え、高度な教育を受けるエリート青年には人権思想は人工的なイデオロギーにすぎないと教える、という二重構造である。

こうした二重構造は、戦前の侵略主義・軍国主義の基盤となった天皇制イデオロギーにも存在する。尋常小学校では天皇は現人神《あらひとがみ》であると教えられ、記紀の記述は真実であると教えられる。しかし、旧制高校以上の高等教育の授業では、そんな馬鹿なことは教えられない。天皇は法律に基づく国家機関であるし、皇統の万世一系は疑わしいし、記紀の記述は神話にすぎない。そう教えなければ、エリートは育成できないからである。この二重構造は、仏教用語を借用して天皇制イデオロギーの「顕教・密教」と通称されている。理解力の乏しい愚かな民衆のために方便として広く説かれる教えが顕教、理解力のある優れたエリートのためだけに密かに説かれる真実の教えが密教である。これと同じ構造が天皇制イデオロギーにあり、この二重構造こそが強固に天皇制を支えてきた、というわけだ。

だが、この顕密二重構造は人権イデオロギーにこそ明白である。しかも、民衆の覚醒を目指すはずの人権イデオロギーが、民衆に顕教という麻薬を与え、妄想の甘いまどろみを世界中に広めようとしていることは、奇怪としか形容できない。

人権真理教のマインド・コントロールの実例

尾藤正英は、荻生徂徠から基本的人権を導き出せるだろうか、と問いかけた。導き出せるはずもないし、導き出す必要もないし、導き出せなかったからといって反省するようなことでもない。そもそもこの問題設定が馬鹿げているのだから。

むしろ、尾藤正英は、徂徠が朱子学イデオロギーの解体を目指した思想的な方法を、現代にいかに適用できるかと問うべきであった。なぜならば、尾藤が編集・解説した『荻生徂徠集』が刊行された一九七〇年代こそ、現代の朱子学イデオロギーと呼ぶべき人権イデオロギーが猛威を振るいはじめた時期だからである。現在なお衰えることを知らぬ言葉狩り、言論の御不自由、表現の御不自由、学問の御不自由は、ほとんどがこの時代に端を発している。この御不自由の具体例は、ここでは一々挙げない。しかし、容易に推察できるようにわれわれの思考と想像力に対する重大な桎梏《しっこく》となっている。

徂徠に学び徂徠から導き出すべきものがあるとしたら、人権《しゅしがく》イデオロギーではなく、その解体なのである。それなのに、尾藤正英は人権《しゅしがく》イデオロギーへの忠誠心を見せている。先にも言ったように、人権の真理性・普遍性という迷信は、この著名な学者の頭脳をも深く浸潤していたのである。

尾藤正英だけのことではない。現代人の心に深く忍び込んだ迷信的宗教、人権真理教のマインド・コントロールは、学者、研究者、評論家、ジャーナリストの判断力を狂わせている。

たとえば、支那思想研究家として確実な業績のある溝口雄三は『方法としての中国』（東京大学出版会、一九八九）で、次のように述べている。

「自由、平等、天賦人権」といったヨーロッパの「先進」思想は、たしかに人類史に対するすぐれた寄与であり、これは普遍的に全人類に共有されるべきものであり、これは決してアジアの相対的独自性なるものによって価値的に個別化・相対化されてしまってよいものではない。ただわたしが言いたいのは、その価値が人類史的に普遍的であるというその普遍性は、様態の如何にまでは及ばないということで、だからそれらは決してアジアにそのままの様態では移植されえない、ということである。

ステロタイプな人権思想を支那社会に適用しようという声に対する批判である。「ヨーロッパの『先進』思想」と、かっこをつけて書いているように、ヨーロッパ思想に対して必ずしも全面肯定ではなく、慎重公平ではある。だが、溝口の言うように、自由、平等、天賦人権が、本当に「人類史に対するすぐれた寄与」であるのか、「普遍的に全人類に共有されるべきもの」なのか。

自由、平等、天賦人権、といった疑うべからざる公準を疑わなければならないところまで時代は追いつめられている。自由、平等、天賦人権を実現するための民主主義を究極の形で出現させた収容所国家ソ連は、一九九一年に崩壊した。また、自由、平等、天賦人権を高く掲げた民主主義革命軍が、老人や子供も含む〝反革命勢力〟をじつに三十万人も虐殺したヴァンデの蛮行は、一九八九年のフランス革命二百周年を機とする研究の中でようやく明るみに出るようになった。人権は様態の差はあっても普遍的真理である——のではない。そもそも普遍でもないし真理でもないのだ。

しかし、尾藤正英や溝口雄三ら年配の研究者の場合はまだましである。尾藤は、徂徠から基本的人権の観念を導き出せるかと問いかけただけだし、溝口は、すくなくともステロタイプな人権論に関しては歯止めをかけようとしている。もう少し若手の一九七〇年代以降に青春期を送った知識人には、トンデモ思想に等しいことを言う人も出てきている。

日本中世史を専攻する聖徳大学教授野口実は、『武家の棟梁の条件』（中公新書、一九九四）で、異常なことを書いている。

武家は暴力をその本質としたのであるから、刑罰の主体もまた暴力にほかならなかったのである。武家が公家・寺社勢力を圧倒し、中世社会に支配的地位を占めるにしたがい、この武家の刑罰体系が全面化していくことはいうまでもない。現在でもヤクザの世界にみられる「指つめ」（断指刑）やこれと似た体質を持つ一部地域の学校で行なわれている丸刈り強制（髪切り刑）は、中世武家社会で民事的な人権を否定されていた身分の低い階層（凡下）にたいして行なわれた刑罰にルーツを求められる。

野口実は、何と中世武家社会に人権がなかったと慨嘆しているのだ。不始末の決着である指つめと集団帰属の表明である丸刈りを同一視するのも滅茶苦茶だが、それは一応譲るとして、人権否定の一点で、指つめと丸刈りと中世の武士を一括りに論じるのには啞然とする。こんなトンデモ思考が許されるのなら、北京原人の人肉食も人権無視という観点から弾劾されなければならないだろう。もちろん、丸刈り強制と一括りにしてである。タイムマシンが発明された暁には、野口を委員長とする人権無視糾弾委員会を五十万年前の北京郊外の周口店に派遣し、断乎たる糾弾運動を展開してもらいたい。

また、こんなことを書いている学者もいる。

支那文学を専攻する奈良女子大学教員筧《かけひ》久美子は、『図書』（岩波書店）二〇〇〇年一月号でこう書く。


宋代の偉大な学者として尊敬される朱子学の創設者朱熹《しゅき》が、熱心な纏足《てんそく》推進者だったという指摘を読んだときには呆れたものだが、彼は「男性優位」論のオピニオン・リーダーだったのだ。「偉大な」学者といえども、学識と人権感覚が常に一致しているわけではない、それを示す恰好の例だといえよう。


今から八百年前の朱子に人権感覚が欠如しているとして、この筧久美子も憤慨しているのだ。しかも、朱子は単なる庶民ではなく、学識がありながらなお人権感覚がない、と怒っているのだ。正気の沙汰とは思えない。もちろん、朱子がではなく、筧がである。

筧久美子はなぜ八百年しか歴史を遡らないのだろう。野口実には五十万年遡ってもらったが、筧には二百万年遡ってもらおう。今から二百万年前、中東部アフリカのオルドバイ渓谷にオーストラロピテカスが住んでいた。彼らは石を打ち欠いて石器を作った。簡単なものとはいえ文明の利器である。これは輝かしき文明の曙光である。しかし、オーストラロピテカスには人権感覚は萌芽さえもなかった。そのうえ、嘆かわしいことに、オーストラロピテカスの人権感覚欠如について、どんな詳細な考古学・人類学の本も一行たりとも言及していない。筧にはタイムマシンに乗ってもらわなくてもいいから、こうした欠陥本を出す出版社を次々に批判の血祭りに上げてもらいたい。

人権抑圧とは、人権という抑圧のことである

一九三五年、国体明徴運動が起きた。美濃部達吉の天皇機関説排撃と連動してである。前にも言ったように、戦前の天皇制国家は巧妙な二重構造、天皇制イデオロギーの顕教密教構造に支えられていた。冷厳な国家理性・国家理由がそれを求めていたからである。しかし、この頃から巧緻《こうち》に満ちた二重構造はそのバランスを失い始める。蓑田胸喜《みのだむねき》らの狂信的天皇主義が次第に勢いを得るようになる。

尾藤正英、溝口雄三、野口実、筧久美子を並べてみると、これに酷似していることがわかるだろう。尾藤、溝口の場合は、人権イデオロギーの顕密二重構造はそれなりに作動している。しかし、野口、筧になると、顕密二重構造さえかすんでしまっている。特権性を持った、それ故に冷静で厳密な学問も、人権明徴の動きに呑み込まれているのだ。現在、人権翼賛体制はほぼ成立しかけている。

このような狂気の時代に、正気を保つには何をなすべきか。

ものごとを人権に帰納して語らないこと、人権から演繹して語らないこと。これに尽きる。交通規則の人右車左に帰納して語れる何かがあるだろうか、人右車左から演繹して語れる何かがあるだろうか。そんなものがあるわけがない。これと同じことだ。

ただ、交通事故の当事者となった場合、人右車左が問われることはあるだろう。しかし、その場合も、人右車左が真理だからでも普遍だからでもない。単なる取り決めにすぎない。したがって、広大な原野では人右車左は守る必要はない。緊急事態には守らなくともよい。仏独など外国では守るとかえって生命が危ない。

これだけのこと、ただこれだけのことである。

一九四〇年から四四年にかけて、若き学徒丸山真男は、ほとんど遺書のつもりで三本の論文を書いた。現在それらは『日本政治思想史研究』としてまとまっている。全世界を一元的に説明する朱子学イデオロギーがどのようにして崩壊していったかを、思想の内的過程として跡づけたこの論文は、同時に、軍国主義の狂気の時代がやはり同じように終わりを迎えるはずだという自己鼓舞の書でもある。丸山に遥かに劣る私にも、人権明徴運動や人権翼賛会が跋扈《ばっこ》する現代が狂気の時代であることが分かるという程度の知性はある。そして、思想の歴史に学ぶことによって、いずれこれが崩壊するだろうと確信ができる程度の見識はある。

二十一世紀には、人権抑圧とは人権への抑圧ではなく、人権という抑圧のことであると、明らかになるだろう。人権問題とは、もちろん、人権の恐怖といかに闘うかという問題である。

(『人権を疑え!』二〇〇〇・十・二十一)

[補論]

本稿は二〇〇〇年十月に刊行された『人権を疑え!』(洋泉社新書y)に執筆した二

本の小論の一本である。残る一本は一五八ページに収録してある。

この『人権を疑え！』は宮崎哲弥が編集した一冊で、宮崎自身を含む七人の論稿が収められている。佐伯啓思、呉智英、宮崎哲弥、髙山文彦、定方晟《さだかたあきら》、山口宏、片岡鉄哉、以上七人だ。経済学者、ノンフィクション作家、仏教学者、法律家などで、自分の専攻ジャンルを超えてマスコミで発言を続けている言論人である。

本稿は今から二十一年も前、二十世紀最後の年の秋に刊行された。二十世紀末の異様な思想的風潮に懐疑の一矢をという意図で編まれたものだが、二十一年前の論考が今なお古びることなく新鮮な輝きを放つことに、かえって慨嘆を隠すことができない。字句の小さな修正と時制のみ改めてある。

第二部

俗論を疑え

仏キ同罪論

二〇一八年八月に出た森本あんり『異端の時代』（岩波新書）を読了。三年前の『反知性主義』（新潮選書）も時宜を得た好著だったが、本書もキリスト教史を検証しながら異端・正統を論じ、現在の思想状況を考える視点を提供して興味深い。

しかし、非キリスト教徒の立場からは首を傾げる記述もある。

「一般に、キリスト教に限らず宗教はみな禁欲的なものだ、と思われている」「特に性に関しては、僧侶の独身制や修道院制度などが目につくためか、厳格で禁欲的な印象を受ける」が「キリスト教に関して言えば」「誤解である」

「聖書は人間の性については一貫して肯定的」だ。「人間がその肉体的な性を含めてすべて神の善なる創造物だ」からだ、と。

いや、それは夫婦の〝健全な性〟についてであって、獣姦や同性愛や児童性愛まで「神の善なる創造物」がすることだからといって肯定的なわけではないだろう。

折しも「カトリック聖職者　性的虐待問題」が大きく報じられている（朝日新聞同年八月三十日付）。

記事によると「聖職者による子どもへの性的虐待」が「長年隠蔽された問題」でローマ法王が「批判の矢面に立たされ」、訪れたアイルランドでは抗議デモも起きた。

この問題は既に二〇〇二年にアメリカでも発覚し、オーストラリアの調査委員会は「カトリック聖職者の独身主義」がその一因と指摘した、とも記事にある。

この「一因」は根が深い。ホーソン『緋文字』にも映画になった『薔薇の名前』にも同種の問題が描かれてきた。

といって、聖職者に〝健全な性〟を認めてしまうわけにもいくまい。宗教上の戒律やタブーは、世俗の人間から見て何の合理性がなくとも、神の命令だからこそ守らなければならない。まして、〝不健全な性〟である獣姦、児童性愛、乱交、ＳＭなどは、聖職者であろうとなかろうと許されまい。

しかし、報道されたような批判や抗議デモがあるだけキリスト教はまともだと言える。

日本の仏教界はどうか。

浄土真宗は別だ。肉食妻帯上等、悪業があればあるほど阿弥陀様が救って下さるというのだから（これ、本当に仏教か）。それ以外の各宗派では、少なくとも僧侶の女色は禁止されている。

私には不思議でしかたがないことがある。全国の寺院でなにかよいことのように催されている稚児行列だ。日本中の人権団体はなぜ抗議行動を起こさないのだろう。稚児って、児童に対する性的虐待だぜ。

『岩波仏教辞典』の「稚児」の項に、こうある。

「寺院…などに召し使われる少年を指し、これが男色の対象ともなり、近世には〈寺小姓〉と呼ばれるものもあった」

女色は禁止されているけど男色を禁止する明文はないぞ、という言いわけで児童虐待である。上田秋成『青頭巾』に描かれたのは、幼児姦の上に屍体姦だ。確かに、屍体姦禁止も明文化されてないけど。

（二〇一八・十・五）

［補論］

仏教と男色の研究書は数多くあるが、比較的新しいものでは松尾剛次『破戒と男色の仏教史』（平凡社）が簡潔にまとめられていて読みやすい。

明治五年（一八七二年）、明治政府は太政《だじょう》官布告を発し、僧侶の「肉食・妻帯・蓄髪」を公《おおやけ》に認めた。これには「明治政府は、神道を重視しようと考えていたため、仏教の権威を失わせること」を意図した一面もあったという。なかなかの深謀遠慮である。

近時、仏教の衰退が著しいが、このところの同性婚やLGBTの人気の流れに棹《さお》さし、うちは昔からそうなんですよ、と、宣伝するのもいいかもしれない。いや、そもそも「戒」という難題をどうするかを根本的に考えなければならないのだけれど。

謬説の蔓延

最近、奈良県天理市で村八分事件が起きた。関西の友人と話していて知ったのだが、私の住む名古屋では報道がない。友人もネットニュースで知ったらしく、プリントアウトを送ってくれた。

そのうち信頼できそうな「弁護士ドットコムニュース」によると、天理市内に転入した夫婦が当地の自治会から村八分にされ、葬式にも来てもらえなかったという。

確かにひどい話で、行政の補助組織である自治会で起きた事件であれば、農村の閉鎖性という一般論ですむことではない。とはいえ、今ここでその自治会を批判しようというわけではない。同ニュースに気になる箇所があるのだ。

「ツイッターでは『葬式にも来ないいんじゃ村九分じゃねえか。村八分よりひどい』など批判の声があがっています」

同ニュースが事件の悪質性の補強証拠のようにする「葬式にも来ないいんじゃ村九分」っ

て、何のことだろう。葬式と火事の二つを除いて付き合いを断つから村八分だという謬説《びゅうせつ》を信じているのだ。

柳田国男ら民俗学者は、この説を否定している。ハチブは弾くである。ハチブはハブ・ハバとも言うが、これは省くである。単純明白に「排除」であって、葬式と火事だけは手伝うなどというのは言いわけにすぎない。

他でも、相当の知識人のはずなのに、この謬説を信じそれに基いて論評する人がいる。

朝日新聞に二〇一五年から「折々のことば」が連載されている。執筆者は哲学者で元阪大総長の鷲田清一。大岡信の「折々のうた」の後を受けて始まった連載だが、これがものすごくツマランのだ。思想家や文学者などの言葉に混じり、芸能人や無名の町の人の言葉が紹介され、わざとらしい〝民主主義〟が感じられる。

前身の「折々のうた」には、詩歌の選択にしろ解釈にしろどこか啓蒙性があり、それが魅力だった。私自身、随分啓蒙された。

これは私と鷲田との思想のちがいだからさて措くとして、「折々のことば」がつまらんと確信したのは、二〇一六年三月九日付（連載三三四回）を読んだ時である。

この日紹介の言葉は「村八分」。解説はこうである。「掟を破った者を」「排除する制裁」。「協力して行う仕事」の「うち消火と埋葬の二分を制裁から外したのは、延焼と伝染病が村人に及びかねないから」。「現代の都市生活では、二分どころか十分を行政や企業」に依存し、「協同の力がぐっと落ちている」。

全体の趣旨がよく分からない。村八分は悪いと言いたいのか、良き風習だと言いたいのか。二分だけ外したのは民衆の叡智だとも読める。十分を行政や企業にまかせると村の協同の力が落ちるからよくない、ということなのだろうか。

そもそも「消火と埋葬の二分を外す」から村八分とするのが謬説なのである。柳田国男は、八分には「鉢」の意味が重なっている可能性も示唆しており、もっと大きなテーマにつながるかもしれない。

（二〇一八・十・二十六）

［補論］

柳田国男は大正期の著作『毛坊主考《けぼうずこう》』で興味深い指摘をしている。毛坊主とは有髪《うはつ》の僧侶という意味だが、浄土真宗などの僧侶のことではなく、『笈埃随筆《きゅうあいずいひつ》』に「俗人でありながら村に死亡の者あれば導師と成りて弔ふ」と出てくる人のことで、一種の被差別民であったらしい。柳田は「ハチと呼ぶ部落〔村落・集落〕がある。事によると右の鉢《はち》叩《たた》きと同類であるかも知れぬ」と書いている。これもまた被差別民であったとする。鉢叩きは空也念仏においても死者の霊を慰めるために行なわれるが、空也が最下層の人たちに働きかけたことからも分かるように、差別・被差別との関連が考えられる。鉢かつぎ姫の話も同様かもしれない。

いずれにしても、火事と葬式の二分以外の八分を排除するというのは「全くの俗説で、ハチブの語ははじくという意義」(『民俗学辞典』)である。ただし、葬式のみ付き合うというのは、鷲田清一の言う衛生上の理由からではなく、葬送儀礼と関係があるかもしれない。

国名の不思議な呼び方

「週刊文春」連載の「池上彰のそこからですか!?」は情報を適確に整理していて毎回興味深い。二〇一八年十月二十五日号は「マケドニアが国名変える?」だ。

ユーゴスラビア連邦の構成国だったマケドニアは、連邦解体後独立国家となるに際し、その国名をめぐってギリシャと対立している。マケドニアという名はアレキサンダー大王の故国の名だ。大王は長じてギリシャ全域を統治するようになり、さらに勢力を拡大してアフリカ北部からペルシャ・インドにまでヘレニズム文化は広がった。それ故、マケドニアという栄光ある国名使用に争いが生じた。

記事ではこの事情がよく分かるのだが、恐らく紙数の制約だろうか、微妙にほのめかすにとどまる記述がある。次の二ケ所だ。かっこ内は原文のまま。

「ギリシア(国際ニュースではギリシャと呼びますが、教科書ではギリシアと表記します)」

「ペルシア(ニュースではペルシャと発音しますが、世界史の教科書での表記はペルシアです）」

ヤ・ア問題である。

私はロシヤをロシヤと書く。新聞などでは校閲部からチェックが入る。ロシアにせよ、と言うのだ。しかしロシヤ語ではロシヤと言う。綴りもロシヤ文字（正しくはキリル文字）でРоссия、ラテン文字ならRossiyaだ。そう反論すると、それなら注を付けてくれと言う。しかたなく「ロシヤ（原綴）」などとする。面倒でかなわん。ブルガリヤも同じくヤである。ところが、ルーマニアはア。そして、マケドニアは、マケドニヤ語ではヤ、ギリシア語ではア。この辺になると、私も使い分けがいいかげんになる。お手挙げだ。

結局、自分が知っている範囲でヤ・アを使い分け、あとは何となく惰性でヤともアとも書く。池上彰の記事でもギリシャ・ギリシアの両方が出てくる。何かの意図があるらしい。

しかし、さらに考えれば、ギリシャは自らをギリシャとは言わない。ギリシアとも言わない。エラダかエラスである。先に言ったヘレニズム（ギリシャ風）の語原である。ギリシャ神話のヘレンに由来する。ただ、欧米のほぼ全部の国でギリシャ、またその同系音で呼ぶ。十六、七世紀に活躍した画家エル・グレコは、ギリシャ人だったためスペイン語で

「ギリシャ人El Greco（英語ならThe Greek）」と呼ばれた。

二〇一五年にも類似の問題が起きた。

グルジヤはかつて旧ソ連邦の構成国だった。独裁者スターリンはグルジヤ人である。しかし、ソ連崩壊後グルジヤのロシヤ離れが進み、ロシヤ語による呼称グルジヤをやめ、ジョージアと呼ぶように要請があった。それを容れて二〇一五年に国名変更となったのだが、自国名のロシヤ語呼称を英語呼称に改正するというのもおかしなものだ。自国語のサカルトベロになぜしなかったのだろう。

グレートブリテン及び北アイルランド連合王国は、イギリスと呼んでも英国と呼んでもOK。UKと呼んでもOKである。


（二〇一八・十一・十六）

［補論］
ロシヤの漢字表記は「露西亜」である。しかし、明治期には「魯西亜」であった。ところが、「魯」は魯鈍、すなわち「愚か」の意味だからロシヤを侮蔑することになるとして「露西亜」に変えられた。いつの時代も言葉狩りのリクツは滅茶苦茶である。確か

に「魯」は「愚か」の意味に使うけれど、漢字文化圏でまず第一に思い浮かぶのは孔子の故国、魯である。聖人の生まれた国の名であれば縁起がいいことになろう。さらに近代支那最高の文学者は魯迅である。また、北方海域で漁業をする水産会社「ニチロ」(現、マルハニチロ)は、かつては漢字で「日魯」であった。魚の字が入っていればいかにも水産会社にふさわしい。ところが、ロシヤ語で「露《つゆ》」はロサ。どことなく「ロシヤ」に似ている。そう考えれば「露」の方がいいようにも思える。表音文字を表意文字に置き換えるのは、なかなかむつかしい。

王と皇帝

韓国の徴用工訴訟の判決には全メディアが一斉に批判的な論評を出した。韓国の異常な反日愛国主義の暴走には誰もが愛想を尽かした感じだ。こうなると、むしろ日本の右派・保守派の過剰反撃に前もって警戒しておかなければならないようにも思える。というのは、以前から「日王」問題がくすぶり続けているからだ。

これは天皇の呼称論議で、前回論じた国名論議にも一脈通じるものがある。

韓国では政府の正式文書では「天皇」とするが、報道などでは広く「日王」が使われる。天皇は英語ではエンペラー（皇帝）、王ならキングである。つまり、天皇はエンペラーなんて大層なものではなく、ただのキングだ、と格の低い名称で呼んでいるつもりなのだ。それでいて「日帝統治」とも言う。めちゃくちゃである。

皇帝は、ローマ帝国がそうであるように、宗主国が属領を支配する統治体制の君主である。日本の天皇は由来がこれとは少しちがうが、外国では同類と見ており、それ故エンペラーとされる。

ところが、こんな例がある。

二〇一八年春に出た平川新『戦国日本と大航海時代』（中公新書）は、秀吉の朝鮮出兵、家康の鎖国などの再解釈を迫る好著だが、こんな記述がある。スペインの宣教師が日本について書いた文書にエンペラドール（皇帝）とあるのは家康で、レイ（王。英語のロイヤルと同系）とあるのは伊達政宗。つまり、日本帝国では大名《だいみょう》国王の上に徳川皇帝がいる、と見ているのだ。

平安末期の『今昔物語』にも我々の常識とはちがう記述がある。本朝の部の最初の巻だけでも、支那へ渡った僧が「日本の国より国王の仰せ」で来たと言っているし（十一の四）、「彼の国（唐）の天皇」（十一の六）という言葉もある。日本の天皇が国王で、支那の皇帝が天皇なのだ。

明治になると、王族・皇族の呼称が外交問題となった。

明治の政治家、星亨《ほしとおる》は「押し通る」と異名《いみょう》がつくほどの剛腕だったが、私生活は清廉で無欲な硬骨漢だったらしい。星が若い頃横浜税関長を務めていた時、英国のクイーン・ヴィクトリアを「女王陛下」と書いて駐日英国公使パークスの怒りを買った（平凡社東洋文庫『星亭とその時代』、同『パークス伝』）。

「女王陛下」でどこが悪いのかと思うところだが、「女王」は日本の皇族の呼称としては天皇からかなり遠い女性皇族のものである。故・三笠宮寛仁（ヒゲの殿下）の長女は彬子《あきこ》女王であり、敬称をつけるなら殿下である。パークスは、英国君主にそんな格の低い呼称を使うな、「女帝陛下」と呼べと迫る。星は反論する。英国が王国《キングダム》である以上、王が女性なら女王《クイーン》ではないか、女帝《エンプレス》とは呼ぶまい、と。だが、日本政府は後難を恐れるように、星の職を解いて幕引きとした。

パークスは日本に英国を畏怖《いふ》させるための「外交上の一手段」を使ったのである。現在は何の問題もなく「女王陛下」で通用している。

（二〇一八・十一・三十）

［補論］

星亭が突張《つっぱ》った女王問題だが、高位女性の敬称は複雑である。トランプ（カード）の絵札に女王がある。私の子供の頃、七並べなどで遊ぶ時、これを姫と呼んでいた。女王だのクィーンだのという言葉を知らなかったからだ。札には確かにQ（クィーン）と書いてある。

プーシキンの『スペードの女王』は年少者にも分かりやすい小説で、少年少女文学全集のたぐいにも収録されて親しまれている。原題は「ピーカバヤ・ダーマ」。ピーカバヤはスペードだが、ダーマは女王とは少し違う。広く高位の女性を意味する。チェホフの『子犬を連れた貴婦人』の貴婦人はダーマである。しかし、最近の邦訳ではこの女性は貴婦人というほどのことではないため『子犬を連れた奥さん』となっている。だいぶ印象が違う。女王、貴婦人、奥さん。全部ダーマである。

大予言で有名なノストラ・ダムスも「我等の貴婦人」すなわち聖母マリアの意味であり、フランス語ではノートル・ダムとなる。

約束の地と千年王国

友人がヤフーニュース特集（二〇一八年十一月十四日付）のプリントを送ってくれた。この夏、日本に住む脱北者五人が北朝鮮政府に五億円の損害賠償を求め、東京地裁に訴状を提出した、という。この人たちは北朝鮮にだまされて帰国したのだ。もっとも、この訴訟に法的効果は期待できないだろう。それでも世論を喚起する意義はある。

同ニュースにもあったが、来二〇一九年は在日朝鮮人の帰国事業開始から六十年になる。そして平成になってから満三十年、天皇の代替りもある。ナショナリズムについての議論が起きるだろう。天皇制をナショナリズムの観点で論じるのは、右側からにしろ左側からにしろおかしくない。しかし、在日朝鮮人の北朝鮮への帰国運動はナショナリズムに似ていて少し違う。これは「約束の地」思想なのではないか。

北朝鮮帰国は一九五九年に始まり、二十年以上続いた。帰国者の数約十万人。特に初めの頃は、異常な熱狂ぶりであった。やがて帰国者から北朝鮮の惨状が秘密裏に伝わるようになったが、それが広く知られるのは一九八四年の金元祚『凍土の共和国』からである。「約束の地」とは、ユダヤ・キリスト教思想に顕著に見られる思想で、祖国を失った民に神が約束してくれた土地という意味だ。モーゼによる「出エジプトExodus《エクソダス》」は、イスラエル建国・移住の際にも語られた。映画『栄光への脱出』も原題はExodusである。これがナショナリズムと違うのは、祖国と民衆のベクトルの差だ。通常のナショナリズムは、民衆が祖国を愛する。約束の地では、祖国が民衆を愛し受け入れる。どんな受け入れ方かは別にしてだが。

今年二〇一八年はブラジル移民百十周年でもある。入植者の辛苦はさまざまに伝えられているが、第二次大戦終戦期に起きた「カチ組・マケ組」事件は、重大かつ異様な事件でありながら今では二重三重に分かりにくくなっている。

まず大まかに言えば、カチ組とは入植に失敗して「人生に負けた」人たち、マケ組とは入植に成功して「人生に勝った」人たちである。成功者たちは、新聞やラジオで「情報を買う」余裕があり、祖国日本が戦争に負けたことを冷静に認識していた。それ故マケ組。反対に、入植失敗者たちは情報を買う余裕はなく、祖国が勝ったと妄信していた。それ故カチ組。この二つのグループが血みどろの争いをくりひろげた。
カチ組・マケ組騒動は一九六〇年代までは日本でも報道され、狂信的ナショナリズムによるものと考えられた。しかし、一九八二年の前山隆『移民の日本回帰運動』は、全く別の視点を提示した。「千年王国」思想によるものだとする。これは「約束の地」と同種の思想で、苦しむ民衆のために神が準備した千年の平安の国、という意味である。
約束の地にしろ千年王国にしろ、従来の政治学では論じられない「不条理な政治思想」だが、それがどうも歴史を動かしているらしい。北朝鮮帰国運動の実情解明に、こうした視点も必要になるはずだ。

（二〇一八・十二・十四）

［補論］
マンガ作品の中にもカチ組・マケ組騒動に触れたものがある。有間しのぶ『その女、ジルバ』だ。巻末の参考資料一覧に『移民の日本回帰運動』も挙がっている。『その女、ジルバ』は、二〇一九年の手塚治虫文化賞（朝日新聞社主催）の大賞を受賞した。私も強く推したし、各種年次アンケートでも第一位に挙げておいた。あちこちで傑作だとの

声が聞こえてくる。

しかし、不思議なことに『その女、ジルバ』がカザンザキスの小説『その男ゾルバ』、またそれを原作としたカコヤニスの映画『その男ゾルバ』のもじりであるとする声は聞こえてこない。本文で書いたように『栄光への脱出』は「出エジプト記」であり、ともにExodusである。マンガや映画はとにかく見ればいいのだ、リクツは要らない感性だけで受け取ればいいのだ、という人がいる。それでは作品の半分も理解できないのだ。

結婚と恋愛至上主義

秋篠宮家の眞子内親王と小室圭氏との行く末に暗雲がたれこめている。これが庶民であればよくある話ですんだろうが、上《うえ》つ方《がた》ともなるとそうもいかない。

改めて言うまでもなく、御二人は交際中であった。もし暗雲が出現しなければ、そのまま納采の儀（結納）、御成婚、と進んだろう。当然その結婚は恋愛結婚ということになる。このことについては、誰も異論をさしはさまない。どの皇族方についても、この半世紀余り、そうだからである。

しかし、一九五九年の皇太子（上皇）の御成婚に際しては、そうではなかった。マスコミは「テニスコートの恋」と、もちろん悪意ではなく書き立てたが、宮内庁はこれが恋愛結婚であると認めなかった。皇太子ともあろう方が恋愛結婚などというはしたない振るまいをすることはない、という含意があった。戦後十年以上経た一九五〇年代末まで、名家では恋愛結婚は奔放ではしたないとされていたのである。

それなら明治より前の天皇はどうだったのか。古くは万葉集の第一首、雄略天皇御製《ぎょせい》の長歌では、初菜摘《はつなつ》みの乙女にこう呼びかける。「家聞かな　名告《なの》らさね（君の家はどこなの、聞きたいな、名前を教えてよ）」「我こそは告《の》らめ　家をも名をも（僕こそ言おうか、家も名前も）」

これは恋愛、というよりナンパに近い。この「家」は一族の意味だが、それにしてもえらく軽い。そのまま交際から結婚へと進んだのだろうか。時代は移り江戸期には見合い結婚が一般的になり、明治から戦後まで続いた。

結婚は恋愛結婚であるべきだ、見合い結婚は、家柄・財産目当ての打算結婚だ、と強く主張したのは、明治大正期の英文学者厨川白村《くりやがわはくそん》である。その『近代の恋愛観』は大ベストセラーになり、戦後も十年ほどは読み継がれた。この主張を「恋愛至上主義」と言う。

昨今、女性誌などで、奔放に恋愛を楽しむ芸能人を指して「恋愛至上主義」と呼ぶことがあるが、完全な誤用である。厨川の恋愛観は、恋愛によって結婚し、その相手と生涯添い遂げる、というものだ。彼は言う。自分は「恋愛の自由」を称えたのであり「自由恋愛」を称えたのではない、と。

ところで「新潮45」休刊（実質廃刊）のきっかけを作った小川榮太郎は、「正論」二〇一八年五月号には「恋愛至上主義―日本人が死に至る病」を執筆している。これについて、私は本誌九月七日号で、その日本語表記のいいかげんさを批判しておいたが、小川の主旨に一理がないわけではない。

小川はここで、日本の人口減少の要因に恋愛至上主義を挙げ「社会や大人が〔結婚〕させる」見合い結婚が復活すれば人口回復も望めるとする。確かに、結婚したくても相手を見つけにくい人は多く、見合い写真を携えた世話焼きおばさんの活躍に期待もしたい。だが、先進国こそが人口減少に悩む現実を考えると、教育投資の高額化が少子化の大きな要因にもなっている。親族のつながりが強い韓国でも人口減少は深刻なのである。

（二〇一九・一一・一／四）

［補論］

一九五〇年代末期、私の小学生から中学生にかけてのことである。人気ラジオ番組に『蝶々雄二の夫婦《めおと》善哉《ぜんざい》』があった。都蝶々と南都雄二の漫才コンビの司会で出演する夫婦のあれこれを聞くという番組である。夫婦が登場すると、まず「お見合いでっか、恋愛でっか」と聞かれ、それから失敗談だの惚気《のろけ》話だのが始まる。見合い結婚と恋愛結婚の違いは小学生でもまず分かるのだが、時々「見合い恋愛です」と答える夫婦がいて、司会者も「というと」と聞き返す。要するに、見合いで気が合い交際が始まって恋愛に発展して結婚に至った、というのである。子供心に、それ、単に見合い結婚じゃないか、と思った。あえて「見合い恋愛」という言い方をする理由は、後に婚姻史に関心を持つまで考えもしなかった。これは恋愛結婚の方が見合い結婚よりも上位だ、つまり恋愛至上主義の風潮が一気に拡がりだした、という例証なのである。とはいえ、一九六〇年代後半、私の大学生時代、同級生の誰某《だれそれ》がお見合いをしたという話も時々耳にした。もちろん、女子学生であって男子学生ではなかった。当時は二十五歳を過ぎた女性は「売れ残り」扱いであった。一九八〇年に女性誌「ヴァンサンカン」が創刊された。フランス語で二十五歳の意味で、二十五歳からこそ女性は輝き活躍できるというメッセージだか商魂だかが込められているらしい。この二十年ほどで日本人の結婚観は大きく変化したのである。

学歴の深層と真相

大学受験シーズンである。大学のランクや、その結果としての学歴ほど、ホンネとタテマエの乖離《かいり》が甚しいものはない。普段タテマエの偽善的学歴論を掲載してきた大手新聞社も、例年二月には自社の週刊誌でホンネむき出しの高校別大学合格者ランキングを発表する。こちらの方がジャーナリズムの良心の発露とさえ言えよう。事実の客観的な報道だからである。

とはいえ、学歴や大学ランクは、ホンネともタテマエとも違う様相を呈することがある。

二〇一八年十一月二十六日付神戸新聞によると、神戸市は学歴詐称をしていた職員を懲戒免職にした。匿名の通報で発覚したものだ。

というと、同僚たちに名門大学卒と信じられていたこの職員が、母校の著名な教授の名前を知らないなどの事実を不審がられ、誰かが匿名で通報した、と思うところだが、そうではない。この職員は「逆学歴詐称」をしていたのだ。大卒なのに、高卒以下の学歴者が応募できる試験に合格して採用されたのである。履歴書にも高卒と記されていたという。

不正と言えば不正である。富裕層なのに、生活困窮者のみに認められる生活保護費を受給していたようなものだからだ。

一九七〇年前後、学生運動で前科のついた友人が就職に困り、現業労働の零細企業に面接に行った話を思い出した。履歴書には、中卒、そして賞罰なし、と記入。社長は、履歴書と当人を見較べながら、中卒後のブランクを疑問視した。友人は観念して真実を話した。すると、社長は大喜びで即決採用。翌日の朝礼で、我が社にも大卒が入ったぞと自慢の訓示を垂れた。入社した彼は、アジとオルグの技術を生かし、会社の業績は向上。やがて東証二部上場を果たす。彼は二代目社長となった。

学生運動といえば、この二〇一九年一月は東大安田講堂事件から五十年である。東大は入試が中止になったが、もう一つの戦場となった日大では厳戒の中入試は敢行された。ところが、日大の受験生は前年より増え、偏差値も急上昇した。

それまで日大は中位校の中でもランクが高い方ではなかったが、全共闘運動で評価が変わったのである。学生たちは立看板を書きビラを配った。おお、日大生が漢字を書ける。

学生たちは団交で理事を追いつめた。おお、日大生が理屈を言える。日大相撲部出身の力士が自分の名前以外の漢字を書けないと言われた時代だ。日大生は実は優秀だと、評価は一変し、ランクは一気に上昇した。皮肉なことに、大学に敵対した全共闘が日大ブランドを向上させたのである。

ところで、平和になった昨今の日大はどうだろうか。

昨二〇一八年十二月十三日付朝日新聞は「日大と東京医大　志望者離れ」と報じている。東京医大は別に論じよう。日大はアメラグ部の悪質タックル事件、理事長・学長の不誠実な対応が影響していると、予備校関係者は分析している。

学歴や大学ランクは、社会・歴史が複雑に反映されている。

（二〇一九・一・十八／二十五）

［補論］

新聞社系の週刊誌で高校別大学合格者ランキングを発表しているのは「週刊朝日」と「サンデー毎日」である。今年は「一人まで掲載」という一見意味不明のアオリが付いていた。これは、東大に一人だけ合格した高校、京大に一人だけ合格した高校まで漏れなく掲載します、という意味らしい。非常に細かく取材することになるから、まさしくジャーナリズム魂の表われであろう。新興の名門高校にとってもその学校の初快挙を報じてもらうことだから喜ばしいし、中学生にとっても高校進学の目安になる。三方良しである。ところで、予備校も東大合格者何名、京大合格者何名と、新聞広告を出すのだが、その合計数と合格者数が一致しない、という指摘がよくある。これは夏休みなどの短期集中ゼミの受講生などを含んだ合格者数だから食い違いが出てくる。そこで提案がある。「週刊朝日」も「サンデー毎日」も、全国の予備校の東大・京大合格者数を「一人まで掲載」したら、どうだろう。これは、三方良し…くないか。

韓国統治の実態

韓国の暴走が止まらない。半世紀前に決着がついているはずの徴用工問題を再燃させるわ、自衛隊機に照準用レーダーを照射するわ、挑撥という段階を超えて宣戦布告直前という感じだ。これも韓国に「反日」という絶対的正義が深く浸透しているからである。

その反日の論拠の一つ「慰安婦強制連行説」は、二〇一四年、これを積極的に報道してきた朝日新聞が虚報であったと認め、検証・謝罪記事を大きく掲載した。しかし、まだこれに類する虚報がマスコミに出回っている。

二〇一九年一月十一日付朝日新聞「社説余滴」は「引き揚げの苦悩は消えぬ」と題して、九十七歳の老婦人の釜山港からの引き揚げ話を紹介している。そこに、国民学校（小学校）の「新入生の胸に創氏改名した日本名の名札をつけ、朝鮮語を禁じ」とある。確かに創氏改名はあった。しかし、この記事全体に流れるような強制性の甚しいものだったのだろうか。我々は何となくそう思っている。朝鮮人が朝鮮名のままだと警察に逮捕され刑務所にぶち込まれるというように。だが、実態はかなり違う。

この記事のちょうど一年前、昨二〇一八年一月二十一日付産経新聞連載「海峡を越えて」第二回では「創氏改名ほど誤解が多い政策もないだろう」としている。朝鮮名から日本名に変えた人は約八割、残りは「金や朴など従来の『姓』をそのまま『氏』として使うことができた」。実例として、検事・閔丙晟《びんへいせい》、陸軍中将・洪思翊《こうしよく》、女性舞踏家・崔承喜《さいしょうき》を挙げている。三人のうち最も有名なのは美貌と芸術性で日本人をも朝鮮人をも魅了した崔承喜で、デパートなどの広告にもしばしば起用された。

創氏改名が強制性の甚しいものなら、検事や将校が朝鮮名のままで許されるはずがなく、朝鮮名の舞踏家が国民的スターとしてポスターに登場するはずもない。

創氏改名の実態について私が疑問を抱いたのは、そんなに昔のことではない。一九九〇年刊行の『現代日本朝日人物事典』（朝日新聞社）によってである。私もこの事典に何項目か執筆しており、送られて来た同書を読んで気づいた。

それは朴春琴《ぼくしゅんきん》という戦前の衆議院（帝国議会）議員の存在であった。朴春琴のように国会議員でさえ朝鮮名のままであるという事実は、創氏改名の強制性に疑いを抱かせた。

また、戦前にこそ朝鮮人に選挙権も被選挙権もあったと確認した。日本は韓国を「併合」したのだから、国民の権利である参政権は同じように保障されるだろう。詳しく言うと、まず内地（日本列島内）と京城（現ソウル）に居住する朝鮮人に参政権を与え、それ以外は法律を整備して順次ということだったが、敗戦によって実現を見なかった。
慰安婦強制連行説への疑問もこの時に湧いた。国会議員を出している人たちの娘を警察や軍隊が強制連行して慰安婦にすることが考えられるだろうか。国会議員以外に朝鮮人の地方議員も何人か出ている。
日本の韓国統治の実態について、我々は知らないことが多すぎる。

（二〇一九・二・八）

［補論］
三十年近く前、シベリア抑留日本兵の苦難を記念する企画があって、当地の某都市に行った。案内と通訳をしてくれたのは朝鮮系ロシヤ人のキムさん。地元の朝鮮人会の会長を務める人物で、見識ある人格者だった。終戦を樺太《からふと》で迎え、これを機にソ連国籍を取得した。日本語と朝鮮語とロシヤ語ができるのでアルバイトで通訳をしている。本業

は鉱山の技師長で、少年時代日本の学校で技術を学び、樺太の鉱山で働いていた。

一週間ほどの交流だったが、学ぶことが多かった。日本の統治時代、差別でつらい目にあわれたでしょうね、と問うと、驚いたように、差別？　そんなものはありませんよ、と言う。樺太という特殊な環境、また技師という職種だからかもしれないが、こともなげに差別はなかったと話す。我々が戦後教えられてきた日本統治下の朝鮮人差別の実体がかなり違うと知った。

キムさんの名刺に父称（父姓）がついているのにも驚いた。父称は父の名をミドルネームにしたもので、イワンであればイワノビッチとなる。キムさんの父称はミハイロビッチ。では、お父さんはミハイルかといえば、純然たる朝鮮名なので父称にはならない。父称は呼びかけの時これを付けると敬意を表わす。父称がないと呼び捨てのような感じになる。ロシヤ人の部下が父称なしでは上司を呼びにくいと言うので、便宜的にミハイロビッチにしたという。これもまた一種の創氏改名だと知った。

奥が深い黒人問題

テニス選手大坂なおみのキャラを使ったネットのPR動画が批判されている。大坂はハイチ系米人の父と日本人の母との混血である。ことわっておくが、日本語の「混血」を差別表現として排斥し、英語の「ハーフ」を強制する厚顔なアジア蔑視の風潮に、私は断じて与《くみ》しない。でも、人権思想ってもともとそういう偽善的差別思想だよ、というのなら話は別だが。

本題に戻って、この動画だ。大坂の顔がほとんど白人のように白い。〝忖度〟が働いたらしい。彼女が黒人系だと思われたら失礼になるからというわけだ。動画の製作者は恥ずべき連中だ。批判も当然である。

同じような例を二〇一七年十一月十四日付朝日新聞が報じている。

ハリウッド女優ルピタ・ニョンゴは、英国の雑誌の表紙写真で縮れ毛を修正され、抗議して謝罪させせた。ニョンゴは両親がケニア人。肌は黒く髪は縮れている。それを「欧州中心の概念に当てはまるように修正」されたことに抗議したのだ。彼女の抗議も当然である。

この記事にはオチもついている。この写真を撮ったカメラマンは、在米のベトナム人だというのだ。同じ有色人種としての〝忖度〟があったのだろうか。

それにしても「黒人問題」は根が深く奥が深い。

二〇一四年一月十八日付中日新聞に刀剣専門誌「銀座情報」二月号の広告が載った。その「今月のトップ情報」が「くろんぼ切りの異名で知られる太刀　景秀」。

新聞紙面に「くろんぼ」という言葉が出るのは何十年ぶりだろう。というより、出たことがあるのか。遠藤周作『黒ん坊』（毎日新聞社、一九七一）と十一年後のその角川文庫版の時は、どうだったか。書評は出たのだろうか。

遠藤の『黒ん坊』は『信長公記《しんちょうこうき》』にも記述のある織田信長のもとに南蛮人が連れてきた黒人の話である。名刀くろんぼ切りは、黒人を切ったという説もあるが、黒い妖怪、あるいは猿の異称とする説もある。後二説の方が本当らしい。

もっと複雑な話もある。二〇一二年十二月十八日付朝日新聞の外報部記事だ。

南アフリカの人気モデル、Ｄ・フォレストは「透き通るような肌」の女性だ。子供の頃はからかわれた。しかし「私だって黒人よ」と言い返した。彼女は色素欠乏のアルビノ（白子）なのだ。差別を乗り超えて世界的モデルとなった。同じくアフリカのタンザニアでは「アルビノ狩り」が横行している。アルビノの手足を切り落として呪医に売るのだ。一人分の身体が数百万円になる。万病に効くという迷信のためだ。残酷極まりない。

私は考現学の観点から注目しているのだが、喫茶店やスナックの店名に、どういうわけか「クロンボ」という名前が散見する。私の知るだけでも名古屋で二軒、東京新宿に一軒、伊豆に一軒、熊本に一軒ある。差別の意図の命名とは思えず、千客万来のラッキー名だろうが、理由が分からない。

我々はこの錯綜した現実の中で人種差別とどう闘えるのか。

（二〇一九・三・一）

［補論］

何年か前、古本屋の棚にルードヴィヒ・レン『くろんぼノビの冒険』を見つけて購入した。千五百円ほどだったと記憶している。岩波少年文庫の一冊で一九五七年刊である。アフリカのくろんぼの少年ノビが、動物を味方にして「ドレイ狩人《かりゅうど》たち」と闘う童話で、最終ページには「ほかの国々では、白人たちを追いはらうことができませんでした」「白人たちがずっといつづけ、黒人のドレイを遠い国々にはこんでいきました」「国民のあいだには、自由への切《せつ》ないあこがれが」と、まとめの一文がある。啓蒙的な冒険物語である。

訳者あとがきによると、作者レンは東ドイツの作家である。原題は〝Der Neger Nobi〟で「くろんぼノビ」、これだけでは分かりにくいので「〜の冒険」と付けたのだろう。これを「黒人ノビ」としたら、ますます分かりにくくなったはずだ。作品の評価をすれば、それなりに面白かったが、現在あえて復刊するほどではない。というより、「くろんぼ」とあるだけで復刊できないはずだ。古書価が高いのもむべなるかな。

巻末の岩波少年文庫目録を見ると、うわっ、こりゃだめだ。ドーデー『チビ君』、ヴィーヘルト『くろんぼのペーター』、ノートン『床下の小人たち』、エルショーフ『せむしの小馬』、アヴリーヌ『黒ちゃん　白ちゃん』……。アブナイ本ばっかりじゃないか。息苦しい時代になっている。

主観による数値

近頃「ファクトチェック」という言葉をよく聞く。「事実の照合」という意味だ。二〇一九年二月十五日付朝日新聞オピニオン欄のテーマがファクトチェック。論者は「政治家は往々にして数字を操作し、事実をゆがめる」と言う。確かに、日本でも外国でも、そういうことがある。政治家にも報道にも出版にも。

二〇一七年十二月十七日付朝日新聞に「エスカレーター事故を防ぐ」という特集があった。エスカレーター上を歩く人による事故を防ぐ方法として手すり設置をすると「歩行者は、41人から37人と0・8％減った」。

後に訂正記事が出た。「約9・8％の誤り」だった、と。0と9の入力キーを打ちまちがえたのだろう。全体の論旨に影響はなく、これは単なるお笑いネタだ。

少し古いが、岩波書店のPR誌「図書」二〇一〇年十一月号に近世文学研究者の中野三敏の「和本リテラシーの回復を願って」という一文が載った。「変体がなと草書体漢字」

による近代以前の和本を読める人の激減を嘆く主旨で、これ自体は共感できる。

では、その和本を読める人が現在どれぐらいいるかというと、「多く見積っても五千人には届くまい。総人口の〇・〇〇〇四％」だ。「我々の中の〇・〇〇〇〇四％しか〔和本を〕読む能力を持た」ない。というのだが、センセイ、計算がまちがってますよ。これでは、和本を読める人は日本中でわずか五十人である。いくらなんでも少なすぎる。岩波には校閲者がいないのか。

前田雅英『日本の治安は再生できるか』（ちくま新書、二〇〇三）という本がある。著者は東大法学部卒、東京都立大学法学部長などを務め、刑法関係の各種審議委員なども経験している。

前田は、日本は「危機的な治安状況」になっているとして、グラフや数表を示して警鐘を鳴らす。

例えば、二〇〇一年「人口の〇・七％に満たない暴力団員」が刑法犯検挙人員三十二万人中三万人を占め、一割近い。これは「一般の一四〇倍」にもなる。

チェックしてみよう。一般人の検挙人員は、総数三十二万人から暴力団員三万人を引いた二十九万人だから、全人口比で約四百人に一人。暴力団員の場合は、全八十四万人中に三万人だから、二十八人に一人。四百人と二十八人とで「一四〇倍」にはならない。一桁ちがう。

前田は、外国人犯罪について、こんなことを言う。日本の全犯罪者数が八十三万人、外国人犯罪者数が九千人で「一一・六％は外国人」。ここでも一桁ちがう。主観で数値を読みちがえるらしい。

筑摩書房に指摘の手紙を出したが、編集者から増刷時に訂正しますという返事が来ただけだ。

二〇一〇年、東京都は「有害マンガ」規制に乗り出した。私は日本マンガ学会会長として、これに反対する声明を出したり、記者会見で発言したりした。その中で、前田雅英が規制を進める審議会委員をやっていると知り、ああやっぱり、と、妙に納得した。

（二〇一九・三・十五）

［補論］

韓国の反日キャンペーンに見る「日本統治下の被害」は慰安婦〝強制連行〟被害者数

のように、そもそもありえなかった事件の被害者数の提示もある。一方、関東大震災の際、朝鮮人が暴動を起こしたというデマが流れ、多数の朝鮮人が民衆のリンチで殺害された。この数はまだ研究が進まず、被害者数ははっきりしていない。確実に言えることは、朝鮮人が暴動を起こしたとされながら、騒擾《そうじょう》罪や傷害罪などで逮捕、起訴、投獄された朝鮮人がいなかったことである。歴史的・社会的事件で議論になる数値を考える時、その数値の計算方法の検討とともに、事件そのものの認識・分析も重要となる。

文化のちがい、意味のちがい

保守系の月刊オピニオン誌「WiLL」二〇一九年四月号の特集は「さすが『礼節』の国韓国!!」。一読してみたが、どうも予想とちがう。朝鮮（南も北も）は昔から礼節・礼儀の国と呼ばれる。昨今の韓国の暴走ぶりを皮肉って逆説的に「さすが」としたらしい。

こういう皮肉表現はよくある。性犯罪で逮捕された宗教家を「さすが聖職者」とするように。しかし、この特集名は少し変なのだ。九人の執筆者の主張自体は特にまちがってはいない。とすると、この特集名は編集部がつけたものか。

そこで思い出したのが、二〇〇〇年五月三十日付朝日新聞の論説委員コラム「窓」欄である。少し古い記事だが、私は某大学の比較文化論の講義資料として十年以上使っていた。この日のタイトルは「礼節の国」、筆者は一字署名で〈黄〉となっている。

当時、森喜朗首相は「日本は天皇を中心とする神の国」と発言し、国内からも韓国からも批判を浴びた。しかし、五月二十九日に森首相と会談した金大中大統領はこれに触れなかった。それは「言いたい気持ちをじっと抑えて、静かに笑って」いる「『礼節の国』と言われる韓国の本来の姿」であり「そうした隣人の気持ちに思いを致」す配慮が森首相に欲しい、というのだ。

私は講義でこの「窓」欄のプリントを配り、学生たちに聞く。韓国に行ったことがある人はいるか。五、六人の手が挙がる。韓国の人たちって、言いたい気持ちを抑えて静かに笑っている「礼節」ある人たちだったか。学生たちはちょっと困ったような表情で首を横に振る。

じゃあ、朝日の記事にこんなことが書いてあるのは何故だ。朝日は革新系だから韓国をほめるなんていう答えは駄目だぞ。

学生たちは考え込む。やがて、ピンと来た一人が答える。文化のちがいですか。礼節の意味がちがっているとか。

正解である。

我々が今「礼儀」という時、それは基本的に西洋由来のもので、交際術のことだ。その要点は、お互いに害意を持っていないことの確認である。礼儀を英語でマナーというのはマニュアル（手引き書）と同原である。交通ルールを交通マナーというのも同じで、車が相互に左側通行するのは、お互いに「被害」に遇わないためだ。

一方、朝鮮における「礼儀」は世界観の象徴化である。宗教儀礼に近い。「礼」を「のり（規範）」「あや（文化）」と読むのはそのためだ。お辞儀にも細かな意味づけがある。単なる交際術ではない。

朝日新聞の論説委員も「WiLL」の編集者も、保革逆だが、ともに文化のちがいが分かっていない。

「WiLL」特集で執筆者の一人大野敏明は、韓国滞在中、返事をしなかった警官を怒鳴った話を書いている。「韓国は儒教の国」なので「高齢者である私」に返事をしないのは失礼になる。怒鳴ったら「直立不動」で返事をしたという。これが朝鮮の礼節である。大野は産経新聞元記者で韓国文化に詳しい。この一節だけが特集名にふさわしい。

（二〇一九・四・五）

［補論］

韓国における礼については、前にも触れた古田博司の『悲しみに笑う韓国人』（ちくま文庫）から学んだことが多い。その中の一節「『東方礼儀の国』倭人考」には、こんなことが書かれている。「韓国は儒教道徳が生活化している国である。いや、『であった』と言うべきかもしれない。当地でも、個々人を等しい労働力とみなす資本主義の波が、年長者と年下の絶対的な区別を無意味なものにしつつあるからである」。個々人を労働力の観点から等しいとみなすのが資本主義なら、個々人をイデオロギーの観点から等しいとみなすのが民主主義・人権主義である。いずれも西洋由来の思考であり、そういう文化圏の中での「礼」と東アジア文化圏における「礼」とでは意味も形式も違ってくる。高齢者である大野敏明が警官の「無礼」を怒鳴りつけたら、直立不動で返事があったというのは、長幼の序という「礼」の力である。西洋由来の礼儀とは大きく違うことが分かるであろう。

新元号と暴走万葉仮名

新元号が「令和」と決まった。

発表の二〇一九年四月一日十一時半すぎ、NHKラジオからニュースが流れた。私はテレビを見る習慣がなく、そもそもテレビは持っていない。アナウンサーは、新元号は「れいわ」です、と言う。ねいわ？　れいあ？　漢字が分からない。苛々していると、アナウンサーは一、二分後に「年齢」の「れい」に「平和」の「わ」です、と言った。「齢和」って、おかしな元号だな。「齢」は今まで元号に使われてないし。そう思っていると、少しして訂正のアナウンスがあった。「命令」などの「令」です、と言う。ははぁ、アナウンサーは画数を省略した代用表記「年令」のつもりだったんだなと気づいた。

国語辞典では「年齢」とするし、英和辞典でもageは「年齢」である。しかし、手書きの文章では「年令」を見ることもある。昨今パソコンの文書が多く、画数の多寡《たか》は負担にならないはずなのに、この代用表記が広がっているのだ。

これは「闘」の代用字の「斗」の場合と同じである。「闘」は本来「鬭」。鬥（たたかいがまえ）は、向い合った戦斧《せんぷ》の象形である。「門」とは全然違うけれど、「鬭」の省略表記の始まりとなった。次は中の複雑な部分を音《おん》の近似した「斗」に代えて「閗」を造字。最終的に「門」も外して「斗」となった。

しかし、「斗」は闘いとは全く無縁の漢字である。これは柄杓《ひしゃく》という意味だ。北の空に柄杓状に星が並んでいるから北斗七星である。柄杓は酒などの量を斗《はか》る。だから、「はかり」、さらに「〜ばかり」と読む。ところが、近時意味を知らずに人名にしばしば使われる。例えば「雄斗」。雄々しく闘うのつもりかもしれないが、「雄ばかり」としか読めない。男子寮だろうか。

こういう無理読みは、暴走族の夜露死苦と同類だから、私は暴走万葉仮名と名付けた。我ながら良い命名だと思う。キラキラネームなどというよりよほどいい。

「令和」は、暴走してはいないけれど、万葉集から取られた。これまで支那古典から取られていたので、国粋主義の表われか、などの声も出ているが、つまらぬいいがかりである。漢字すなわち支那文字である以上、四書五経から取ろうが万葉集から取ろうが同じことだ。

平仮名でも片仮名でも元は漢字である。

新元号を子供の名前につける親も出てくるだろう。それはそれでよい。明治《あきはる》だって大正《ひろまさ》だって昭和《あきかず》だって平成《ひらしげ》だっているだろうし。ただ、暴走読みはやめるべきだ。「令和《れいな》」など、和《なごむ》の「な」のつもりかもしれないが「和」全体で「なごむ」である。この伝でいけば、「醜女」で「みお」、「塵芥」で「ちあ」も可能になる。

新元号原案には令和の他に「万和《ばんな》」もあった。これは暴走読みではない。連声《れんじょう》である。前の文字のンが連《つ》らなりナとなった。「観音」「反応」も同じ。「音」単独で「のん」はなく「応」単独で「のう」はない。「天皇」も「皇」が連声して「てんのう」である。

（二〇一九・四・二十六）

［補論］

連声はフランス語のリエゾンと類似の現象である。リエゾンを連声と訳すこともある。しかし、両者は少しだけ違う。リエゾンは発音されなかった子音が、続く母音によって復活する現象だから、その子音は文字には表記されている。連声はもともとなかった子音が出現するのである。

例を挙げよう。Champs-Elyseesはシャン・エリゼだがｓが復活してシャンゼリゼとなる。英語のthere isをゼアリズと読むのと同じである。連声の「観音」はkan onがkan nonになるのだから、存在しなかったｎが連られて出現したのである。この点にリエゾンと連声の違いがある。

朝鮮語にもリエゾンと言ってよい現象がある。朝鮮語にはン音が二種ある。これは日本語話者に聞き分けられないだけで、本来はン音とンｸﾞ音とで別の音である。このンｸﾞ音の後に母音が来ると、ンガ、ンギなどと発音される。一九六三年から一九七九年まで韓国大統領であった朴正熙は、初めは日本語読みで「ぼく・せいき」であったが、八〇年代半ばから朝鮮語読みが強制されるようになり「パク・チョンヒ」と読むようになった。しかし、これは正しい朝鮮語読みではない。このチョンはチョンｸﾞであり、ヒはイに近く聞こえるため、「パク・チョンギ」が正しい。デタラメな読み方を強制する連中に、暴走読みの「花音《かのん》」や「瑠皇《るのう》」を笑う資格はない。

差別語の不可解

ノートルダム大聖堂の火災事故を報じる二〇一九年四月十六日付朝日新聞夕刊を読んで、私は思わずにやりと笑った。大聖堂の解説にこうあったからだ。

「『ノートルダムのせむし男』など、映画の舞台にもなった」

朝日新聞は三十年ほど前にはこれが書けず、『ノートルダムの男』という珍妙なゴマカシ表現をしていたのに。映画の原題はHunchback of Notre Dameである。

この有名な映画は、マンガにも何度か翻案されている。ちばてつやのデビュー作『復讐のせむし男』もこれをヒントにしている。十七歳の少年の作品とは思えない出来栄えで、後の活躍を予言しているようだ。しかし、これは長く復刻されず、二〇〇三年に復刻された時も、書評では全く取り上げられなかった。

そのちばてつやの『ひねもすのたり日記』は、昨二〇一八年手塚治虫文化賞特別賞を受賞した興味深い自伝マンガだが、その中に気になる記述がある。ちば少年は家族とともに満洲で終戦を迎え、ロシヤ兵や支那人暴徒に怖い目に遭う。日本人の工場長がこう言う。

「ゆうべはロスケ（ロシア兵の蔑称）に西棟の社宅が襲われた」

かっこ内は原文のままだ。欄外にもさらに免責注がつく。

「『ロスケ』はロシア人に対する差別表現であり、現在は使いませんが、ここでは当時の時代背景を伝えるために使用しております」

一方、避難民がこう発言する。

「日本の警察はいつも威張って…中国人からにくまれていたから」

当時、普通の日本人で支那人を中国人と呼んだ者はいないはずだ。ここでは「時代背景を伝える」必要はないのだろうか。私が全共闘の学生だった頃から半世紀言い続けてきたように、世界共通語である「支那」はそもそも差別語ではない。終戦期の言論統制で「差別認定」されたのだ。ロシヤ人をロスケと呼ぶのは明白な差別だが、それでも免責注を付ければ許される。支那人を支那人と呼ぶのは免責注を付けてさえ許されない絶対的差別語なのだろうか。

「ヤングマガジン」連載中の三田紀房『アルキメデスの大戦』は大東亜戦争中の海軍と陸

軍の確執を描いた歴史マンガだが、全篇中「支那」が一箇所も出てこない。驚いたことに、東條英機までが参謀長室で若手科学者にこう言う。

「君の試みは失敗した。中国侵攻はさらに続くのだ」（二〇一九年五月六日号）

中国侵攻って、豊臣秀吉か。

きゅっきゅぽんという女性マンガ家の『星間ブリッジ』は、戦時中上海に渡った少女と支那人少年の友情物語だが、登場人物たちは最初から最後まで「支那人」と口にしている。当然のことである。

野田サトル『ゴールデンカムイ』は、明治期の元軍人とアイヌの少女の物語で、やはり昨二〇一八年手塚治虫文化賞大賞を受賞した。作品冒頭、主人公はこううそぶく。

「露スケの白いケツをかじってでも俺は生き抜いてやる」

これは免責注なしである。

出版界は何を恐れているのか。以上挙げた作品は全部秀作である。

（二〇一九・五・十七／二十四）

［補論］

先日亡くなった半藤一利の『昭和史』を原作にした能條純一『昭和天皇物語』でも板垣征四郎が「南満洲鉄道の線路を爆破して、中国軍の犯行に見せかけ…」と発言している（「ビッグコミックオリジナル」二〇一九年六月二十日号）。「支那」は究極の差別語扱いである。ところで、二〇一九年二月二十六日付産経新聞の河崎真澄論説委員の「一筆多論」は面白い情報を紹介している。南太平洋のサモアでは、「北京から来た男はチャイナマン」「台湾人は昔からチャイニーズ」だという。英語圏ではチャイナマンはやや軽んじた言い方になるが、ここでは景気がいい支那人を意味するらしい。

その一方、「露助」は他でも解禁状態である。二〇一九年二月二十一号「週刊新潮」に大坂なおみの曽祖母みつよさんの自伝が紹介されている。彼女は北方領土で終戦を迎えた。「露助が島に上陸してきた」「女は全部露助の妾にする」。ここでも免責注なしだ。いろんな意味で本当に差別語差別は不可解である。

左翼衰退と天皇制

二〇一九年五月十日付朝日新聞は「陛下即位の賀詞議決　共産党も出席・賛成」と報じている。共産党は一九九〇年秋の新帝即位礼ではまだ賀詞に反対していたのに。ほんの一ミリずつの後退だから目立たないが、気づいたら百キロも逃走していたようなものだ。天皇制打倒を叫んで投獄されたり虐殺されたりした先人に、どう申しわけするのだろう。あるいは、あと五十キロも後退してから反転攻勢に出るつもりなのか。共産党以外の過激派や市民派も小規模な集会やデモをやっている程度だ。左翼の衰退は歴然たるものになっている。

私は天皇制擁護論者ではない。私の理想とする政治は哲人政治、すなわち「徳による階級制」（小島祐馬『中国思想史』）だからである。これは「世襲を防ぐ作用」を有する。徳が血統によって受け継がれるはずがないからだ。ましてや徳も知性も問われない民主主義的平等思想など、私が最も嫌悪するものである。

詳論は機会を改めて述べるとして、産経新聞の一面コラム「産経抄」（五月六日）で面白い本を知った。五月三日、八十九歳で亡くなった数学者志村五郎『鳥のように』というエッセイ集である。

「志村さんは、中国の古典文学に関する研究書など、数学とは関係のない原稿も数多く残している」という。調べてみると『中国説話文学とその背景』という準学術著作もある。その志村が「戦後の論壇に大きな影響力を持っていた政治学者」丸山真男の「歴史認識の誤りや教養の欠如を批判していた」とある。

『鳥のように』にその批判文が収められていると知り、一読してみた。確かに、丸山は支那古典に想像以上に暗かったり、朝鮮戦争の認識が偏っていたりと、もっともな批判だ。既に保守系の評論家も指摘している通りである。

しかし、同書には「夜明け前」という興味深い一章もあった。

「仮に開国佐幕派が尊王攘夷派を打ち負かしても、明治の天皇制政府より悪かったとも考えられない」「御真影の配布とその礼拝、教育勅語奉読、君が代斉唱などの愚劣な習慣とその強制はすべて明治時代に始まった」「教育勅語の始めの部分など『何だと、ふざけるな』

と言いたくなる」

続いて、孟子は革命思想であるから日本では孟子が疎まれたのではないかと考察し、明治維新では「奇妙な天皇の概念を作って国民に強制した」「そんな維新などない方がよかった」と言う。

過激だなあ。さらにこうだ。

「〔一九五九年頃〕東大の教養学部の数学教室で、二十代から五十代の数学教師達数人が天皇制はいつまで続くだろうかと議論していた。いつまでも続けばよいと思っている者はひとりもいなかった」

共産党に読ませてやりたい。でも、共産党は産経新聞が嫌いだ。いや、待てよ、産経の中に工作員が入っていて、丸山真男批判を隠れ蓑に過激な反天皇制論を…って、これじゃ陰謀論か。ともあれ天才数学者志村五郎は興味深かった。


（二〇一九・六・七）

［補論］
戦後二十年ほどは、思想的反天皇論とともに体感的反天皇論あるいは反天皇感情が強

く存在した。もちろん、それは天皇の名のもとに始まった戦争が多大な犠牲を強いたからである。しかし、その感情は戦争を知らない世代が国民の多数を占めるようになると消えていった。今やその世代の子や孫や曽孫が圧倒的な多数派になり、反天皇感情が理解できなくなった。これを知るためには城山三郎『大義の末』(角川文庫)を薦めておきたい。城山はクリスチャンであり、経済小説でデビューしたこともあり、いわゆる左翼的作家ではない。本作はノンフィクションや歴史小説ではなく、城山自らが言うように「私小説ではないが、私の青春も、これに近い体験の中に在った」。現在の「芸能人天皇制」とは大きく違う感情が当時あったことがよく分かる。一九五九年の作品である。

理論とエロ話

牧久『暴君』が面白い。新聞広告を見てすぐ本屋に行ったが売り切れ。次の本屋も、その次の本屋も売り切れ。四軒目でやっと入手した。「新左翼・松崎明に支配されたJR秘史」とサブタイトルにある。同じ著者が二年前に書いた『昭和解体』(サブタイトル「国鉄分割・民営化30年目の真実」)の続篇である。しかし、『暴君』を単独で読んでも十分面白い。

旧国鉄は、鉄道院・鉄道省以来の巨大官営企業だったが、積年の不正と労組の専横が重なり、分割民営化という大鉈が振るわれて一九八七年にJR各社となった。労組も、各政党系の他に、過激派の一つ革共同革マル派の力が強く、民営化後も大きな影響力を持った。その指導者松崎明をめぐるノンフィクションである。松崎は、当事者でない私からすれば、アッパレな英雄にさえ見える。

興味深い箇所はいくつもあるが、私は、松崎の履歴と活動方法、特にオルグ(組織化)の技術に注目した。

松崎が少なくとも一時期は所属していた革マル派は、理論の純粋性が特徴で、その分、秘教的で排他的な傾向が見られた。最高指導者黒田寛一も理論家タイプだった。ところが、松崎はこれと正反対のタイプだった。引用された左翼運動家の回顧録にこうある。

「松崎さんは僕が初めて出会うプロレタリア共産主義者である」「松崎さんは労働運動とはこういうものだよ、の喩えとして、職場で酒を飲みながら、猥談をする話をした」

別の対談集で松崎は語る。

「いやあ、労働運動なんかわかるやつが（革共同のなかには）一人もいないんですよ」

確かにそうだろう。私が何冊か読んだ理論家黒田寛一の本に、オルグの要《かなめ》は酒飲んでエロ話だとは一言も書かれていなかった。マル・エン全集にもレーニン全集にもトロツキー選集にも、確認したわけではないが、一言も書かれていないはずだ。

しかし、その松崎が「プロレタリア共産主義者」として、国鉄を分割民営化に追い込む重要な役割を果たした。もし後継者が育成されていれば共産主義革命が実現していたかもしれない。酒とエロ話でオルグ、恐るべし。

ところで、少し前の本だが、現代の珍書怪著ベストテンの一冊に入る本を紹介しよう。

村田宏雄『オルグ学入門』（勁草書房）である。一九八二年初版以来版を重ね、今も入手可能だ。

著者は東大社会学科卒業の社会学者で、大学教授も務めた。

項目だけ拾っておく。

「非力大衆を強力化する方法」「従来のオルグ方法の欠点」「科学的オルグ技術の開発」「大衆欲求の分析とその方法」「感情オルグの基本型」「三段論法的推理とその誤まる部分」…。

酒とエロ話は全く出てこない。村田センセイが理論家タイプであることだけはよく分かる。幸か不幸か、この本によってオルグ、さらに革命が実現したことはない。

（二〇一九・六・二十一）

［補論］

一九五一年、日本共産党はコミンフォルム（国際情報局。戦後の国際的共産主義組織）の方針にふりまわされる中で、山村工作隊を作った。農山村に入り革命の根拠地作りをするという戦略だ。農山村に入った青年党員は、農民たちに思想も理論も全く通用しないことを思い知らされるのみならず、うさんくさい奴らとして追いまわされた。さらに、苦難に耐える純朴な農民を一人たりとも見たことはなく、こすっからく風儀も乱れた連中ばかりであることも知った。もしそこに、千人とは言わず十人の松崎明がいたら、酒とエロ話のオルグ技術でたちまち農民を束ね、巨大な山村コンミューンが出来ていたかもしれない。というよりも、今に至るまで選挙運動の基本はこれではないか。普段から有権者を集め、酒とエロ話を武器に心をわし摑み。菅義偉首相は、酒が飲めない体質なのでずいぶん苦しんだという。エロ話も、たぶん得意ではなかったと思う。

環境型セクハラって何？

弁護士ドットコムニュース（二〇一九年二月二十七日）に、お前の喜びそうな事件が出ていたぞと、友人がプリントを送ってくれた。確かにそう言われてみればそうなのだが、単純に喜んでもいられない。現代美術がらみの事件なのである。

現代美術なるものに、私は概して冷笑的である。今これについて詳しく述べないが、三十五年前に晶文社から出たトム・ウルフ『現代美術コテンパン』（一九八四年）のようなものが何故日本の美術批評界にはないのだろう。ただし、この本は訳文が感心できない。

さて、事件とは次のようなものである。

昨春、京都造形大東京キャンパスで社会人向け公開講座が催された。講師は現代美術作家の会田誠。この講座を受講した三十九歳の女性が「環境型セクハラ」を受けたとして、大学を相手どり三百万円余りの慰謝料を求める訴訟を起こした、というのだ。

環境型セクハラというのは、教員が学生個人にけしからぬ行為をするのではなく、講義全体がセクハラだったという意味らしい。その講義では、会田自身の作品がスクリーンに映し出されたが、それは、少女が強姦されて涙を流している絵や全裸の女性が排泄している絵で、受講女性は強いショックを受けた。その後も動悸・不眠などの症状が続き、急性ストレス障害と診断されたという。

私は前述のように現代美術に冷笑的だ。その大きな理由は、わざとらしさやハッタリ臭さが感じられることだ。

かく言う私も美術系の大学でマンガ論の講義をしたことがあり、エロマンガも論じている。学生に配る講義資料には強姦も排泄も当然描かれている。しかし、そこにはわざとらしさもハッタリもない。エロマンガなんだから、読者を楽しませるための真剣勝負だ。もし私の講義が「環境型セクハラ」で訴えられたら、そのバカ学生と徹底的に闘うだろう。しかし、会田に共闘・支援を求められたら、ちょっと嫌だな。

とはいえ、これは基本的に表現の自由、学問の自由、教育の自由の問題であるから、一言見解を述べておかなければなるまい。

国文学の講義で井原西鶴『好色一代男』を扱うことは環境型セクハラにならないのだろ

うか。
この主人公世之介は稀代の好色漢で、幼少時から不埒《ふらち》な行動があった。九歳の時の話だ。現在なら満八歳、小学校二年生である。近所の小間使の女が行水をしているのを遠眼鏡で見る。そうとは知らぬ女が股間に手をやりオナニーを始めた。世之介は、見ちゃった見ちゃったと囃し立てる。そして、このことを他人に知られたくなければ、夜更けに忍んで行くから裏戸を開けておけと脅すのだ。
脅迫による強姦罪である。ただし、子供につき寝込んでしまって未遂というオチがつく。それでも授業中に強いショックを受ける女子学生が出るだろう。私は先の大学とは別の大学の文化論の講義で『一代男』のこの箇所のプリントを使ってきた。しかし、一度も訴訟沙汰にはなっていない。

（二〇一九・七・五）

［補論］
この女子学生の行動を報道した記事には、どこか勇気ある抗義といったトーンが感じられるものがあった。全面的評価ではないが、そういう抗義もありうるだろう、という

雰囲気である。少なくとも、この女子学生が愚かであるという見解を誰か美術史家のコメントとして掲載するぐらいは、あってほしかった。かつて黒田清輝の裸婦像が警察の指示で布によって隠されたのは、これを見た人たちが嫌悪感を抱いたからである。美術館で裸婦像に驚き呆れる来館者の姿がジョルジュ・ビゴーの諷刺画に描かれている。現在、小学生を引率して美術館見学をすることはよくあるが、裸婦像を見せることはどうなのだろう。近年春画の評価と関心が高まり、展覧会がよく催される。これらは必ず十八禁表示が付く。いずれ大学の授業にも十八禁表示が…、いや、もともと大学は十八禁じゃなかったっけ。

冤罪事件の闇

二〇一九年六月二十七日付各紙は一斉に大崎事件の再審取り消しを報じた。

大崎事件とは、一九七九年鹿児島県大崎町で四十二歳男性の遺体が見つかった事件で、親族四人が逮捕起訴された。四人のうち三人が殺害の事実を認めたが、一人は否認したまま、全員の懲役刑が決まった。その一人が刑期満了後、再審請求をする。第三次請求で地裁・高裁が再審を認めたものの最高裁が再審を取り消したのである。

弁護側の主張では、遺体男性は自転車ごと溝に転落し出血性ショック死したとする。司法権・警察権が国家にある以上、真相は報道またそれを情報源とする我々に完全には分からない。しかし、私は弁護側の主張が正しいと思う。一部でしか報道されていないが、罪を認めた三人には軽い知的障害があり、警察でのやりとりが正しく理解されておらず、言われるままに調書署名に応じたらしい。これが大きく報道されにくい理由は説明を要しまい。

この事件以外にも、事情は異なるが、報道されにくい冤罪事件がある。一九五二年一月に札幌で起きた白鳥事件が好例だろう。札幌市警の白鳥一雄警部が拳銃で射殺され、日本共産党札幌委員会委員長ほか二名が逮捕・起訴された。当時は朝鮮戦争の最中であり、共産党は武装組織「中核自衛隊」を擁しており、犯行声明さえ出した。しかし、射撃訓練に使ったとされる証拠の銃弾の偽造が発覚するなど、警察・検察のデッチ上げが指摘され、再審請求も提出された。結果的に、委員長が懲役二十年、残る二人は執行猶予付きの懲役となる。共産党は冤罪キャンペーンを張った。

しかし、実行犯とおぼしき人物たちは「人民艦隊」によって支那へ逃亡していた。人民艦隊とは漁船を使って密出入国をしていた組織である。支那に匿われていた逃亡者たちはやがて起きた文革で反革命分子とされ、次いで共産党からは極左冒険主義者として排斥されるようになる。

こうした複雑な事情を考えると、当事者でさえ冤罪だと主張しにくい。

事件の詳細なドキュメントが二〇一三年に出ている。後藤篤志『亡命者―白鳥警部射殺事件の闇』（筑摩書房）だ。北海道大学卒の著者は地元の放送局に勤め、事件を検証する番組を作った。その取材を単行本化したものだが、なぜかさほど評判にならなかった。

あとがきで著者は言う。「〔学生時代〕北大で白鳥事件のことになるとOBや先輩達の口が重くなる」「〔ある教授は〕『これが現地北海道の常識なのだから深入りしないように』と強く釘を刺していた」

白鳥事件の三年前、下山事件、三鷹事件、松川事件と、奇怪な事件が続いた。中でも松川事件は、事件そのものは未解決のまま二十人の被告全員が無罪となった。警察あるいは米軍が企図した謀略事件とされる。全体の構図としてはその通りだろう。しかし、私は学生時代に一世代上の元共産党員から、あれは単純な冤罪ではないんだと聞かされ納得したことがある。

（二〇一九・七・十九／二十六）

〔補論〕

警察のミスによる冤罪、あるいは警察が成果を挙げるためのデッチ上げなどは、構造が簡単であるため、後々まで研究・検証報道はされやすい。しかし、白鳥事件は本論で述べたように複雑な経緯がからんでいるため、冤罪被害者当人でさえその非を訴えにくく、ジャーナリズムも取材や発表が困難である。さらに、冤罪であることが確定した後、その後の言動などから元被告が怪しいという情報が現れた場合は、一事不再理則により罪に問えず、取材も発表も困難になる。逆にジャーナリズムが名誉毀損で訴えられることにもなる。我々は、一時「冤罪の英雄」と称された人物の名を最近見ない、という負《ふ》の情報によって真相を推測するしかない。ねじれた形でジャーナリズムの手足は縛られている。

法の埒外、人間の埒外

二〇一九年夏の京都アニメーション大惨事に、日本中から強い関心と怒りの声が上がっている。そのうちの一つが、現時点で死者三十五人（後に三十六人）、負傷者三十三人もの被害者を出しながら、容疑者の青葉真司はなぜ手厚い治療を受けているのか、という批判だ。しかし、これは間違っている。青葉への治療は、事件の全容解明のために必要であり、彼に賛同し支援しているわけではない。

とはいえ、そういった怒りの声が出るのは、今後の捜査、起訴、判決への懸念が、誰の脳裏にも浮かぶからだ。心神喪失により無罪となる可能性がありうるのだ。

この問題は、類似の事件が起きるたびに浮上してくるのだが、本質的な議論に進まないまま、うやむやになってしまう。

心神喪失とは、精神障害によって善悪の判断や意志能力を欠くことだ。心神喪失者は、社会的・法律的行動を取ることのできる一般人の枠を外れた「埒外《らちがい》の人」である。これを法律は罰しえない。

法律は、法を犯した人を罰する。人を殺せば殺人罪に問われる。しかし、海で泳いでいた人が溺れて死んだ場合、海を刑務所にぶち込んだり死刑にすることはできない。海は「人」ではなく「物」だからである。山から岩が落ちてきて人が圧死した場合も同じだ。行政当局の管理責任を問うことはありうるが、海や岩には何の責任もない。海や岩に善悪の判断能力や意志能力はないからだ。

それなら、心神喪失者は海や岩と同じ「物」だとしていいのだろうか。当然、違うという意見が出るだろう。なぜならば、心神喪失者は人であって物ではないからだ、と。心神喪失者は人間としての遺伝子を持ち、年齢や体質などの条件がよければ子供を作ることができる。そもそも人間から生まれたのである。つまり、人間の同胞なのだ。

では、同胞ではない人間がどこかにいた場合は、どうか。原人・猿人の生き残りが、ジャングルかヒマラヤ山地に住んでいる可能性は完全には否定できない。ネアンデルタール人は何万年も前に現生人類と交雑し、我々の遺伝子にネアンデルタール人の遺伝子が混じっている、という研究も最近出てきた。そうであれば、ネアンデルタール人は我々の同胞である。

だが、五十万年前に生きていた北京原人や百七十万年前に生きていたジャワ原人は、現生人類との交雑は確認されていない。この人たちの生き残りが発見された場合、人間の同胞としていいのだろうか。この人たちが石斧で人間を殴り殺した時、「人」だから有罪にするのか「物」だから罪を問わないのか。

我々と同等か、あるいはもっと高度の知能や判断力を持つ宇宙人が地球に来た場合は、どうか。彼らが光線銃で人を殺したら、宇宙「人」だから裁判に掛け、刑務所に入れることができるのか、あくまでも宇宙人という生「物」なのだから責任はないとするのか。

私は冗談を言っているのではない。法の根本にある「人間観」に矛盾や限界や亀裂はないか、と問うているのだ。

（二〇一九・八・十六／二十三）

［補論］

類似の問題が生じるのは、死刑執行に関する刑事訴訟法第四百七十九条「死刑執行の停止」である。これによると死刑囚が「心神喪失の状態に在《あ》るときは」執行が停止される。死刑判決に承服しているかどうかは別にして、罪の償いとして死刑になることが分かっていなければ刑に意味がないからだ。オウム真理教事件で麻原彰晃の死刑判決が確定した後もその精神状態が注目されたのは、これが適用されると死刑執行ができないからである。公判中から麻原の異常な言動は広く知られていたが、これは死刑判決が出た後の刑事訴訟法の規定を見越した「詐狂」的行動ではないか、と疑われていた。しかし、なにがしか異常ではあっても心神喪失ではないと判断され、死刑執行となった。京アニ事件でも刑法・刑訴法で同じ問題が議論されることになるだろう。

表現の不自由展と「当り屋」

二〇一九年八月一日から始まったあいちトリエンナーレの企画展「表現の不自由展」騒動が長く続いている。議論の中心にあるのは慰安婦を象徴する「少女像」だが、これ、いつ表現が不自由になったのか。

少女像はソウルの日本大使館前に二〇一一年から堂々と設置されている。しかも公道にである。これ以外にも韓国各地に、さらにアメリカやドイツにもいくつか設置されている。日本でも、公道や公有地は当然駄目だが、韓国大使館の玄関や会議室なら設置は自由である。個人の家の庭でも屋上でも全く自由だ。二〇一二年に東京都美術館で開催された国際交流展だけが、特定の政治思想に関連するとして、これを撤去した。国際交流の本義にも反するはずだ。要するに、趣旨が違うから撤去したのである。

こうした少女像のどこが「表現の不自由」なのか。津田大介ら破廉恥な運動家連中がわざわざここで表現の不自由を作り出したのだ。ありもしない交通事故を作り出す「当り屋」

商売と同じである。

本当の「表現の不自由展」なら、是非やってもらいたい。本欄でもたびたび指摘してきたように、戦後七十余年一貫して表現が不自由になっているからだ。いくつか例を挙げる。

舟越保武は二十世紀日本の美術界を代表する彫刻家である。子息の舟越桂も著名な彫刻家だ。その舟越保武の最高傑作『病醜のダミアン』が、これを所有する埼玉県立近代美術館で公開展示できなくなった。一九八四年のことである。その後、鑑賞希望申請者のみ別室で鑑賞できるようになった。十五年後に『ダミアン神父像』と改題してやっと公開展示が可能になる。

これは病気への偏見を助長し差別しているという声が出たからである。舟越の制作意図とは正反対の〝抗議〟に屈服したのだ。

最近「戦争絵画」に関心が集まっている。先鞭《せんべん》をつけたのは「芸術新潮」一九九五年八月号だ。私はそこで小早川秋聲《しゅうせい》『国之楯《くにのたて》』を見て衝撃を受けた。ページを開いたまま五分ほどじっと見つめていた。軍服姿の戦死者の遺体の顔が日の丸で覆われている。荘厳と悲哀が見る者を圧する傑作であった。昭和十九年作のこの名品は「天覧を拒絶された」と説明にある。むろん反戦平和主義者たちも戦争絵画を忌避し『国之楯』を知らなかった。右からも左からも表現の不自由が続いた。

マンガは今や日本を代表する芸術となっている。文化庁も一九九七年、マンガやアニメを「メディア芸術」と位置づけ支援を開始した。海外の著名な美術館でもしばしば日本マンガ展が開催される。

こうした中、国内はもとより海外でも人気が高いのが、勇壮な筆致と激しい作劇法を特徴とする平田弘史である。しかし、その初期代表作『血だるま剣法』は一九六二年刊行後〝封印作品〟となり、実に四十二年後の二〇〇四年まで日の目を見ることがなかった。自慢ではないが、私が詳細な解説を付けて復刊にこぎつけた。

表現の不自由と戦ったことがない奴らが当り屋稼業をやっている。

（二〇一九・九・六）

［補論］

有名なジョークがある。ソ連時代のロシヤジョークだと言われているが、そうかどうかは分からない。

アメリカ人とソ連人が自国の自慢をした。アメリカ人が言う。「我がアメリカには言論の自由がある。アメリカの大統領をいくら悪く言っても処罰されることはない」。ソ連人が言う。「我がソ連でも同じである。アメリカの大統領をいくら悪く言っても処罰されることはない」

津田大介らの「表現の不自由」批判はこのソ連人と同じである。自分たちに都合の悪い「表現の不自由」のみ批判しているのだ。自分たち、あるいはその一統が関わっている「表現の不自由」は批判しない。そんなものはなかったと言うつもりなのだろうか。

本論に挙げておいた『病醜のダミアン』『国之楯』『血だるま剣法』は、「少女像」や「天皇写真焼却」よりはるかに優れた作品でありながら「表現の不自由」の憂き目にあっている。反日芸術だろうが反天皇芸術だろうが、優れた作品は優れた作品であり、愚劣な作品は愚劣な作品である。日本讃美だろうが、天皇礼讃だろうが、これも同じ。シュペアが演出したナチスのページェントなど見事の一語につきる。ソ連が国力を注ぎ込んで作ったプロパガンダ芸術も、これに劣らず美事である。そうした優れた芸術を陰に陽に「なかったことにする」連中こそ批判しなければならない。

「知の特権」対「人権」

二〇一九年七月六日、ユネスコの世界遺産委員会は、百舌鳥《もず》・古市《ふるいち》古墳群の世界文化遺産登録を決定した。日本の文化財が世界的に評価されることは大変に喜ばしい。

この古墳群には国内最大の大山《だいせん》古墳が含まれる。これは宮内庁が仁徳天皇陵として管理しているが、「考古学者や歴史学者からは『被葬者が学術的に確定していない』として」この名称での登録に反対する声が出ている（七月七日付朝日新聞）。「伝《でん》仁徳天皇陵」という呼び方をすることもある。「と伝えられる」という意味だ。

私も概《おおむ》ねこれに賛成だが、議論が次の段階に進むと、簡単に答えが出しにくくなる。それなら被葬者を学術的に確定するために調査をしよう、という意見に、賛成していいのか、よくないのか。

先の朝日新聞では「非公開で本格的な発掘調査が認められておらず」としているし、同日の産経新聞では「宮内庁は『世界遺産となっても皇室祭祀が行われる〈祈りの場〉に変わりはない』」と強調。『墳丘内部への立ち入りを認めることはない』」と報じる。要するに、研究者の側は真実を知りたいし、宮内庁の側は皇室の尊厳を守りたい、という対立構造がある。

この二つのうち、宮内庁側は敢えて言いたがらないのだが、一般の国民を例にとるとかえってその主張が理解されやすい。皆さんの家のお墓について考えてみて下さい。学者たちがお墓を掘り返して、遺体か遺骨の寸法を計ったり化学分析したりして、それが嬉しいですか。曽祖父様が皆さんと血がつながってないと分かったとして、迷惑なだけじゃありませんか。調査など、余計なお世話でしょ、という説明だ。

迷惑であり余計なお世話であるにもかかわらず、学者たちが調査したがる根拠は何か。「知の特権」である。「知」は何をやっても許されるという特権である。ジャーナリズムの報道もその一つだ。しばしば問題になる犯罪被害者の報道はその好例である。被害者は「知」られたくないのだ。

では、調査される側が反撥する根拠は何か。これも宮内庁側は敢えて言いたがらないのだが、実は「人権」である。墓を暴かれてあれこれいじりまわされ好奇の目に曝されたくないという権利だ。

意外と気づきにくいのだが、古墳調査の是非論の根底には「知の特権」と「人権」の対立がある。

明治以後、北海道先住民アイヌへの関心が高まり、「知的」な研究対象となった。形質人類学（生物人類学）的観点から、アイヌの墓を発掘し、その遺骨を研究資料として保存することが行なわれた。その返還要求が「人権」の立場から叫ばれるようになり、近時返還は実現しつつある。こうした先例も、天皇陵発掘調査反対論に有利なはずなのに、宮内庁側は敢えて言及しない。

「知の特権」批判は五十年前の学生叛乱の時代に話題になりながら議論は全く深化しないまま今に至る。論者たちが知者ではなく愚者だったからだろうと、私は思う。


（二〇一九・九・二十／二十七）

［補論］
知の特権なるものは、人類史の始まりの頃からあったはずだ。石と石を打って火を出すことを「知」った人は優遇されただろうし、ある種の草木に病気を治す作用があるこ

とを「知」った人も同様だろう。現代でもノーベル賞など「賞《ほ》」められる行為のほとんどは「知」に関係している。まさしく人間がホモ・サピエンスだからであり、知が人間全体を益するからである。知の特権は否応なく存在してきた。しかし、その犠牲になる人もいた。種痘を開発したジェンナーは息子に人体実験をした。かつてはこれが美談だと伝えられたが、後に、息子だけではなく使用人の子供も人体実験に使われていたことが分かってきた。現在なら階級差を利用した行為として糾弾運動が起きてもおかしくない。いや、息子だって親子の力関係で人体実験されたのだから、児童なんとか法にひっかかるとして断罪されるだろう。このように知の特権なるものは人間社会に必ずあり、そうであればこれが暴走しないよう調整してゆくよりしかたがないのである。

知の特権と強者の特権

前々回九月六日号では「表現の不自由展」の「少女像」騒動を論じ、次の九月二十・二十七日号では伝天皇陵発掘調査やアイヌ遺骨研究には知の特権の問題が根底にあることを指摘した。今回もこれに通じるテーマだ。

この夏七月三日付朝日新聞の外報欄は、ニューヨークの公園に設置されていた十九世紀の医学者J・M・シムズの銅像が昨年撤去された事件を大きく報じた。シムズは米国医師会長を務め、婦人科医学の父とまで呼ばれるほどの功績がある。しかし、奴隷解放宣言の前とはいえ、黒人女性を生体実験に使っていた。十七歳の黒人少女には三十回もの手術が行なわれ、しかも麻酔は使用されなかった。

シムズが医学の進歩に寄与したのは事実だが、批判も当然だし銅像撤去もまた当然だろう。

記事には、十九世紀の白人による黒人への甚しい偏見も紹介されている。それは、黒人が白人に較べて能力が劣るといったものではなく、黒人は皮膚が厚く痛みに強いといった、むしろ〝誤った長所〟とも呼ぶべき偏見である。これが麻酔を使わない人体実験の背後にあった。しかも、この偏見は現代も残存し、白人の医学生たちへの調査では半数以上が黒人は痛みに強いと信じている、という。

アメリカの黒人女性作家バーバラ・チェイス＝リボウは、第三代大統領T・ジェファーソンが黒人奴隷を妾にしていた事実をテーマにした歴史小説『サリー・ヘミングス』で世界的に知られる。

この本の重要な点は「嫌悪という差別」ではなく「性的魅力という差別」を描いたことである。これもまた偏見による〝誤った長所〟だ。日本に滞在するアフリカ人男子留学生がしばしば不快感を口にするのは、日本人女性から好色な目で見られることである。

リボウには『ホッテントット・ヴィーナス』という好著もある。ホッテントットとはコイコイ族の通称・蔑称である。彼らの言葉が白人にはホッテントットと聞こえた。ヴィーナスとは、むろん美神の名だ。この二つを合わせた皮肉な「ホッテントット・ヴィーナス」と呼ばれた女性サラの悲劇の物語である。

サラはアフリカからヨーロッパに連れて来られ、見世物小屋に売られた。また、生物学者らの知的好奇心の対象にもなった。それは主に張り出した臀部と肥大した性器に対するものであり、そこには大形猿類の発情期の徴候との類推があった。しかもサラは人柄が優しく、オランダ語を難なく話す知性もあった。残酷な運命に苦しんだサラは、死後博物館の標本となった。いや、自分の意志によるものではないから、標本にされたのである。サラの遺体は今世紀に入ってやっと故郷に還った。

こんな諸例を見ると「知の特権」なるものは知の特権ではなく「強者の特権」にすぎないことが分かる。アイヌが和人の墓を発掘調査し、黒人が白人の標本を博物館に陳列して、初めて本当の知の特権が行使されたことになる。知は普遍の類義語のはずではないか。

（二〇一九・十・十一）

［補論］

かつて日本にサンカと呼ばれる漂泊民がいた。これが異民族であるのか被差別民であるのか単なる流民であるのか、よく分かっていない。その研究の第一人者とされるのが三角寛であった。大変面白い、いや、面白すぎる人物で、最近はその博士論文が作り話だったという研究も出ている（筒井功『サンカの真実　三角寛の虚構』文春新書）。三角の著作の大半はサンカ小説であり、通俗読物雑誌に掲載された。そこではサンカの女性は情熱的、つまり性欲が強くて魅力的だと描かれている。こういう偏見かつ憧憬は、あらゆる優位集団が劣位集団に対して抱くもので、ヨーロッパのジプシー（俗に言うロマ）を扱った小説にも描かれているし、男女を入れ換えれば『オセロ』にも『嵐が丘』にも何となく感じられる。

こういうねじまがった侮蔑感が黒人差別の中にも存在している。アメリカの大統領が最高権力者でありながら、なぜわざわざ蔑視の対象である黒人奴隷を妾にするのか不思議に思えるが、差別心理の複雑さがそこに表われているのである。

令和の天皇制論議

二〇一九年十月二十二日の新帝即位礼を目前にして各紙に関連記事が出ている。

十月十日付産経新聞は見出しを「共産党　ご即位儀式欠席」「閣僚認証式には臨む構えも」として、共産党の中途半端な〝転向〟ぶりを皮肉っている。

「『2004年綱領』に『天皇の制度は憲法上の制度』などと明記してから軟化している」「6月4日付の機関紙『しんぶん赤旗』のインタビューで女性・女系天皇に賛成すると明言したのもその一環だ」。また「共産党幹部は『認証式は（憲法に基づく）国事行為だから出席する』と明言した」

要するに、共産党は護憲主義であり女性の社会進出にも賛成だから、その点に関しては天皇制を認めるということらしい。

記事の最後は「しかし、従来の『共産党らしさ』が失われることを心配する支持者も少なくないとみられ、ソフト路線化は組織の土台を揺るがす危険」もあるとする。

同日付朝日新聞では「考・令和の天皇」として「慰霊のあり方 議論必要」というインタビュー記事を掲載した。発言者は近現代政治史を専攻する吉田裕である。「今年8月、初代宮内庁長官だった故田島道治の『拝謁記』が明らかになり」昭和天皇は「『反省といふのは私ニも沢山ある』と戦争への反省を語った」。さらに「来日した全斗煥大統領に」「植民地支配に遺憾の意を示し」「日本の加害責任を認めた」。「ただ、本来こうしたメッセージは、政府が発すべきもの。政治的権能を持たない天皇が戦争への反省を『代行』している形になって」いる。

興味深いことに、共産党も吉田裕も憲法論の枠内で天皇制を支持している。本当にこれだけでいいのだろうか。

と思っていたら、「文藝春秋」十一月号の巻末コラムで坪内祐三が面白い視点を提示している。坪内は本誌「週刊ポスト」でも美術批評を連載中だ。

「平成に入って大震災をはじめとする天変地異や長雨などの異常気象が多すぎるが、それは天皇霊が弱いからだ」「かつて村の長の最大の仕事は天気を動かすことだった。長雨が続けばそれを止め、逆に雨不足の時は降らす。天皇が日本の長だとしたら同様の役割をはたさなければならない。そして天皇には天皇霊が強い天皇と弱い天皇がいて、強い天皇はその役割をはたす」

と坪内祐三は思ってきたのだが、最近、丸谷才一や大野晋の著作によって考えを改めた。丸谷は言う。

「この数十年間で最悪の名づけは平成といふ年号だつた。不景気、大地震、戦争とろくなことがないのはこのせいかも、と思ひたくなる」

「日本語ではエ列音は格が低い」

「ヘイセイ（実際の発音はヘエセエ）はこのエ列音が四つ並ぶ」

これは突拍子もない意見に思われて、そうではない。天皇制の淵源《えんげん》は憲法に求めるのではなく、民俗学、宗教学の知見を踏まえて考える必要がある。この六十年、皇室ニュースを率先して取り上げるのは女性誌であることに、知識人は恥じるべきだろう。〔坪内祐三は本稿掲載後、二〇二〇年一月に病没した〕

（二〇一九・十一・一）

［補論］

共産主義は私有財産の廃絶を唱える思想である。昔から議論のあるところだが、歯ブラシや下着まで私有財産であることを禁ずるのかという問いには、生産手段としての私有財産を公有化するのであり、個人使用の私有財産は認める、という答えが返ってくる。ヤマギシ会も財産公有制(無所有一体)で、子供たちは一粒のアメ玉をみんなで順番になめ合っている。共産党は当面は日本国憲法を護り、民族・民主政権を樹立、国民の合意が得られた後、生産主段の国有化にかかるという遠大な共産主義革命を考えているようだ。それはそれでいいとして、天皇制はどうするのだろう。ロシヤ革命でそうしたように皇族は処刑なのか。あるいは一国民としての生活を保障するのか。私有財産制廃絶まで長い長い過渡期が想定されているように、天皇制廃止までも長い長い過渡期が想定されているのかもしれない。保守派が今心配しているのは、皮肉なことに共産主義による天皇制の廃絶ではなく、皇統の途絶なのである。

年の初めに歳の話

なぜ保守派は〝数え年〟にこだわるのか

二ケ月ほど休載しましたが、体調が回復しましたので連載を再開します。新年二〇二〇年も御愛読下さい。

さて、令和元年に生まれた赤ちゃんも早いものでこの令和二年正月には、えーと、あれっ、まだゼロ歳だよ。満年齢だとそうなる。

改元を目前に控えた二〇一九年三月一日付産経新聞にNHK元アナウンサー鈴木健二のインタビュー記事が載った。彼は数え年主義者だという。それはそれで一つの見識である。

しかし、鈴木が数え年を使う理由は、どうか。鈴木は、こう説明する。

「私が『数え年』を使うのも、受精卵がお母さんのおなかの中で着床した瞬間から、命が始まっていると思うからです」「おへそで、お母さんと一生つながっている」「お母さんを大切にし、生まれ故郷を大切にしよう」

生命尊重、親を大切に。これを心に刻むために、胎内の一年を加算して数え年を使うというのである。生命や親を尊ぶのはけっこうだが、それと数え年と何の関係があるのか。母の胎内にいるのは通常九ケ月余り。十二月三十一日大晦日に生まれた赤ちゃんは同年の春に受胎しており、親の恩の一年加算はないはずだ。しかし、大晦日から一夜明けた元日には、満ゼロ歳（というより満一日）の赤ちゃんは数え二歳になる。

親孝行と数え年には何の関係もないはずだ。だが、産経新聞の寄稿者たる保守系の論者たちは、親孝行の論拠に数え年を持ち出したがる。もう一例挙げよう。

サンケイリビングの編集長を務めた参議院議員山谷えり子も、二〇一一年一月八日付産経新聞で「次世代へ美しい糸を」と題し、こんなことを書いている。

「数え年と満年齢と、誰もが年齢を2つの数え方で確認し合っていたのはいつの頃までだったろうか。日本人は、母親のおなかの中に授かったときから、生命の存在を尊く考えていた。だから西洋のように誕生してから〝0（ゼロ）歳〟とは数えず、歳神さまとともに〝1歳〟と数えたのである」

０は古代インドで発明され、西洋で広く使われるようになったのは四、五百年前からだとされる。西洋人は既に中世から「０歳」と数えていたのだろうか。真逆《まさか》。また、日本で「誰もが年齢を２つの数え方で確認し合っていた」のは、義務教育が始まる明治十二年前後から昭和戦後期までの七十年間ほどだろう。江戸時代の人や平安時代の人がそんなことをしていたはずがない。そもそも数え年しかなかったのである。

基数詞と序数詞

では、数え年とは何か、満年齢とは何か。

中学の英語の授業で数詞には二種類のものがあると習ったはずだ。一つは基数詞。one two threeなどで量を表わす。もう一つは序数詞（順序数詞とも言う）。first second thirdなどで順序を表わす。

満年齢は基数詞で、生きてきた「量」を表わす。数え年は序数詞で、生まれた「順序」を表わす。この違いなのである。

暦年の決め方を「紀年法」というが、これも序数詞、すなわち数え年である。世界中のどの国のどの王朝の紀年法でも必ず元年は一年である。「元年」とは「元の年《もと》」であり「元《はじめ》の年」であり、firstの年である。oneの前ならzeroもあるだろうが、firstの前には何もない。明治も大正もゼロ年から始まったりはしない。西暦（キリスト教暦）も元年は一年、仏暦でもイスラム暦でも同じだ。

世紀の数え方も同じである。百年単位が世紀。これも一世紀から始まり、ゼロ世紀はない。一九五〇年は頭に「一九」が付くけれど、二十世紀だ。その二十世紀が終わったのは一九九九年ではなく、二〇〇〇年である。紀元ゼロ年もゼロ世紀もないからだ。

序数詞は順序を表わしている。母の胎内や親孝行を表わしているわけではない。序数詞は親孝行の数字、基数詞は親不幸の数字?!　そんなバカな。保守系の論者の説く道徳論って、こんなのばかりである。

モンダイ師弟の大ボケ対談

そう思っていたのだが、そうでもないと気づいた。この手のバカは保革・左右を問わないのだ。友人の歴史学者が面白い本を教えてくれた。二〇一二年に太田出版から出た見田宗介と大澤真幸の師弟対談集『二千年紀の社会と思想』である。

内容は読んでいないから知らない。書名だけで読む気にならないからだ。アオリを見ると、こんなことが書かれている。

「これからの千年を人類はどう生きるべきか？」「千年の射程で人類のビジョンを示す」

二十一世紀に入って既に十年以上すぎた。これからの千年の見通しを語ろうということらしい。いやはやである。

世紀は前述のように百年単位。千年紀は千年単位。世紀は序数詞だからゼロ世紀はなく、一世紀から始まる。千年紀も序数詞だからゼロ千年紀なんてあるはずはなく、一千年紀から始まる。三九五年のローマ帝国の分裂や九六二年のオットー大帝戴冠が一千年紀。一七八九年のフランス革命や一九四一年の真珠湾攻撃が二千年紀。そして二十一世紀の今は三千年紀なのだ。

本文中の誤用なら増刷時に訂正もできようが、書名そのものが誤用では訂正もできない。見田・大澤師弟は大恥を天下にさらしたことになる。しかし、不思議なことに、誰もこれに触れようとしない。

古いスクラップ帖に見田宗介のこんな文章を見つけた。一九八五年十月二十八日付朝日新聞の「論壇時評」だ。「気に感応した胎児」と小見出しが付く。

「出産直前になっても頭を下にしていない胎児は、難産となるが、母親が気を整えて胎児に話しかけ」ると「グルッとまわって自分で位置を直すことが多い」「〔母の〕〈気〉に感応しているのだ」

お母さん、すごい。赤ちゃん、えらい。偉大なる神秘の力。

でも、基数詞と序数詞の違い、紀年法のイロハを知っていた方が、もっとえらいと、私は思う。

（二〇二〇・一・三／十）

人権を疑え②

人権主義者のセカンド・レイプ

人権は単なる「取り決め」にすぎない

愚か者の最後の切り札が人権思想である。人権を持ち出せば何でも語りうると思っている。議論はすべて人権に帰着して結論が出ると思っている。そんな愚か者が知識人と自称して学界や言論界に生息している。

言うまでもないことだが、人権なるものが存在しうるとすれば、それは他のさまざまな権利がそうであるのと同じように、「取り決め」、すなわち制度として存在しうるにすぎない。検察の公訴権も国務大臣の不訴追特権も商店主の代金請求権も、それは社会的な取り決めである。もっと分かりやすい例を出そう。麻雀のルールである。ポンとチーが競合した場合、ポンに優先権がある。そのように取り決められているからだし、取り決められているということ以外、この優先権には何の根拠もない。したがって、ポン優先権は廃止したってかまわない。これと人権は別段何のちがいもないのである。

ところが、人権《ヒューマンライツ》には人間《ヒューマン》という言葉がついている。そのため、これが何か人間性に源を発する権利だという誤解や曲解がまかりとおっている。麻雀の天和《テンホー》は天に源を発しているわけではなく、人和《レンホー》は人間性に準拠しているわけではない。天の字がつこうと人の字がつこうと、単なる取り決めにすぎない。人権に人がついたって、人和に人がついているのと同じなのである。

もっとも、天和や人和は、三才説に依拠はしている。天地人の三才（三つの働き）でものごとを説明できるという古代支那の思想である。しかし、三才説はある時代のある文明圏でのみ通用しえた一つのイデオロギーにすぎない。現在、三才説で宇宙工学や地質学や生理学が研究できると言う人はいまい。三才説の宇宙観や地球観や人間観は、とっくの昔に限界を見せているからだ。麻雀というゲームにこれが残っているのは、一種の伝統美のようなものなのである。

単なる取り決めである人権に人《ヒューマン》という大仰な字がついているのも、せいぜいが伝統美程度の飾りなのである。人権思想が依拠している人間観は、十七、八世紀の人間観である。

さまざまな学問が進んだ現在、そんなものはとっくに限界を見せている。人間は平等ではないし、自由を求めるとは限らないし、独立した個人なるものが存在しているわけではないし、人間に理性が備わっているという保証はないし、確たる意志が本心から出たものかどうかわからないし、自分の行動に責任を負う能力を持っているかどうか疑わしい。こんなことは、心理学、精神医学、宗教学、社会学、民俗学、文化人類学……、その他あらゆる学問分野にこの百年間蓄積されてきた成果が教えるところだ。

だからといって、我々は人間に絶望する必要はない。人間はもっと複雑で、もっと不気味で、もっと不条理で、そうであるが故に、もっと面白く、もっと魅力的なのである。そうであれば、人間というものが何もわかっていない人権思想家が、最後の切り札のように人権をふりかざす非人間性と闘うことこそ、二十一世紀の知識人の重要な課題である。凶悪犯罪と死刑の問題もその一つである。

なぜ復讐は認められなければならないか

すでに私は何回か書いている。死刑などという人間性に反する刑罰はすみやかに廃止さるべきである。そして、死刑に代わるものとして、殺人など凶悪犯罪の被害者遺族による復讐権の行使を認めるべきである、と。

私は奇矯な言辞を弄しているのではない。死刑について根源的な議論をしようと思うのなら、次のように問題設定しなければならないはずだ。人間が誰でも本来持っている復讐権を国家権力は何故奪ったのか、そのことに正当性はあるのか、と。

明治・大正期に活躍した法律学者穂積陳重《ほづみのぶしげ》に『復讐と法律』という著作がある。今では岩波文庫で手軽に読めるが、昭和の初めに「法律進化論叢書」の一冊として出版されたものだ。法律進化論とは、法制史をふり返ってみると、未開社会から文明社会へという進化に対応して法律も高度に進化した、という意味である。明治時代に、近代法というものを根づかせるべく力を尽くした穂積らしい啓蒙的な著作で、もともとは講演録であった。

論旨は簡明である。

「およそ生物にはその種族的存在を害する攻撃に対する反撃をなすの性質がある」。それは危害の除去であり、憤怒や恐怖という被害感情への慰藉《いしゃ》であり、将来の危険への防衛である。これが復讐である。これはどんな動物にも見られることであり、当然人間にもある。

しかし、人間社会においては、復讐公許、復讐制限、復讐禁止、と、大きく三期の進化を遂げた。むろん、復讐が恣意に流れやすく、また復讐が再復讐を誘発するなど、その弊害が見過ごしがたいことが明らかになったからである。文明の最終進化の段階では、個人の復讐は禁止され、厳正公平な国家機関によって、危害の除去や被害感情への慰藉や将来の危険防衛などは達成される。

というものである。

近代国家を人間の上位に置く限り、間然《かんぜん》するところのない立論である。人間は生まれながらにして復讐権を持っている。それは生物として当然なのだし、どの民族も歴史の初めには皆そうであった。しかし、近代国家は、社会の混乱を避けるため、人間からその復讐権を奪い代理執行するのだ、というのである。

では、人間が国家に抵抗したらどうなるか。復讐権を国家が奪うことに抵抗したらどうなるか。もちろん、国家権力はそのような反抗者を許しはしない。たとえ人間が本来持つ権利であっても、復讐権を行使した者は、投獄、場合によっては死刑が待っているだろう。半面、国家権力に随順する凶悪な犯罪者は、復讐権の行使から保護されるであろう。かくて、単なる取り決めである人権によって犯罪者は保護され、本来持っている復讐権を行使しようとする被害者は投獄される――これが近代国家の国家意志である。

死刑を論じる時に、しばしば議論になるのが、死刑の犯罪抑止効果である。一般の犯罪においては、死刑にじつはさほど犯罪抑止力は期待できない。なぜならば、死刑は犯罪と釣り合わないほど軽いからである。

かつてアフリカのケニアでは密猟が横行していた。野生動物を密猟し、毛皮や角や牙を採って売れば、現地人にとっては莫大な収入になる。発覚して逮捕されたところで、何年か刑務所に入っているだけだ。こういう状況では、野生動物の保護をいくら説いたって密猟はなくならない。しかし、近年、密猟は重罰化が進み、早晩死刑が適用される可能性が高くなった。これまでも「現場処刑」（現場射殺）が頻繁に行なわれるようになり、密猟は減少していた。それを一歩進めるというわけだ。現場処刑にも死刑にも犯罪抑止力はある。象牙や毛皮と引き換えに殺されてはかなわないと誰もが考えるからだ。

人間は、きわめて稀な殉教精神を持つ確信犯以外、誰でも損得勘定はするものなのである。犯罪と釣り合わないほど死刑が重ければ、死刑には犯罪抑止力は期待できる。

現在、日本では死刑の方法は絞首刑である。憲法三十六条の残虐刑の禁止の規定によって、絞首刑以外の処刑方法はない。将来、モルヒネの致死量投与などによる「安楽死刑」も採用されるようになるかもしれないが、当分は絞首刑である。絞首刑は、自殺者の多くが縊死《いし》を選ぶことでも分かるように、苦痛の少ない処刑方法である。もっとも、どのような処刑方法であろうとも、死刑そのものが残虐であるという考えもある。しかし、それなら、懲役刑だって同じことだ。刑務所を高級ホテルのスイートルームのように改装しない限り、どんな懲役刑だって残虐であろう。まして、仮釈放のない絶対終身刑が残虐でないはずはない。刑罰はそもそも残虐なのである。そのことによって犯罪抑止力は保証されるのだ。

しかし、それは釣り合いが取れているか、釣り合いが取れないほど重い刑が課せられる場合である。五人を殺害して逃走中の殺人犯に対して、死刑は、六人目の犠牲者を防ぐ力を持たない。殺人犯は、どうせ死刑になる、五人殺そうが六人殺そうが同じだ、と考えるからである。五人殺した者に死刑で釣り合いが取れるのなら、六人殺した者にも死刑では釣り合いは取れない。

死刑は最高究極の刑だから、それでもしかたがない、と考えるのは現代人だけである。現代人は死を直視しなくなった。現代人にとっては死は漠然たる恐れであり抽象的な恐れである。しかし、近親者に囲まれて天寿を全うする死と、飢えと厳寒の中で死んだシベリア抑留者の死や放射線障害に苦しみながら焦土のバラックで死んだ被爆者の死が、同じ死の一語で語れるはずがない。人間の生が多様であるように死もまた多様である。

死刑も然り。近代以前なら、人権思想の一元的支配が始まる前なら、多様な死刑があった。切腹、斬首、さらし首、のこぎり引き……、ちょっと思い浮かべただけでも、これぐらいのものは考えられる。五人殺して逃走中の殺人犯に、今投降すれば楽な絞首刑だが、もし六人目を殺したら車裂きの死刑だと警告すれば、死刑は、六人目からは犯罪抑止力を発揮するだろう。

九〇年代に話題になった東京の繁華街の支那人マフィアは、鉄の規律を誇っている。仲間の裏切りは決して許さない。死の掟がある。もちろん、楽なものから苦しいものまで何段階もの死がある掟だ。その中ぐらいのものが、「背中の鉋《かんな》かけ」だという噂である。こんな処刑が裏切りへの抑止力にならないはずはない。そして、このような死の掟を持つ連中に対し、絞首刑しかない死刑が何の抑止力にもならないのは言うまでもない。

我々は初めから抑止力を減衰させた死刑方法を選択しておいて、死刑に抑止力があるかないかを議論しているのである。まして、死刑と復讐の関係など、それこそが死刑の本質であるにもかかわらず、論じられることはない。

現代の刑法学の権威であり、最高裁判所の判事も務めた団藤《だんどう》重光に、『死刑廃止論』という著作がある。死刑廃止論の基本書としてよく言及される本だ。その中で、団藤は自分を死刑廃止論に決定的に導いた事件のことを書いている。

団藤重光が最高裁判事であった時、ある毒殺事件を担当した。なにがしか疑わしい点はあったが、証拠は十分に揃っており、合議の結果、死刑判決となった。判決を言い渡して退廷する時、裁判官たちの背に向けて傍聴席から関係者とおぼしい者の声で、「人殺しっ」と野次が飛んだ。これが決定的な回心をもたらした、というのである。

しばしば引用される有名な話である。だが、私はこれを読んだ時、唖然とした。刑法学界で最も精緻な注釈書を著したと称賛される司法界の最高権威が、あまりにもコドモじみた回心を記しているからである。もし有罪と断じるのに疑わしい点が残るなら、徹底的に調べるべきだし、無罪判決を出したってよい。しかし、証拠は十分に揃い、合議までしている。その結果、死刑判決が出たのだ。それなのに団藤重光が動揺したのは、「人殺しっ」の一声のためである。

もとより、死刑は人殺しである。死刑判決を出すということは死刑という人殺しに加担することである。それをあからさまに指摘された時、団藤重光は動揺したというわけだ。

それならば、逆の場合はどうか。残忍な方法で家族を殺され、できるならば自分の手で復讐をしたいと切望する遺族が傍聴席にいる法廷で、心神喪失による無罪や少年法による微罪判決を出した場合は、どうか。私が遺族なら、裁判官に「人殺しっ」と叫ぶ。裁判官が人殺しに加担していることは明らかだからである。

殺人事件の判決を傍聴する遺族は誰も同じ気持ちのはずだ。しかし、声に出して「人殺しっ」と叫ぶ人はきわめて少ない。なぜならば、奪われた復讐権を主張するには、国家権力は強大だからである。そして、単なる取り決めにすぎない人権を人間性に準拠するものだと強弁する人たちが、正当な主張をしようとする人たちの口をつぐませようとしているからである。

人権論者によって二重に貶められる被害者

二〇〇〇年三月、山口県光市の母子殺害事件に関して、無期懲役刑の一審判決が出た。昨一九九九年四月、十八歳の少年が強姦目的のために二十三歳の女性をその子もろとも殺害した事件である。被害者には何の落ち度もなかった。犯人を挑発するような扇情的な服装をしていたとか、誘っていると誤解されるような態度をとったとかということすらなかった。たとえそうだとしても強姦殺人が許されるわけはないが、そんな軽微な落ち度さえなかった。もちろん、怨恨などの背景もなかった。犯人はただ強姦目的のために女性を殺害し、犯行の邪魔になるというだけの理由で幼児も殺害したのである。冤罪である可能性もゼロであった。犯人も犯行を認めているし、すべての証拠は彼が犯人であることを示していた。犯人の側に敢えて酌《く》むべき事情があるとすれば、犯人が未成年であることと、生育家庭があまり良好ではなかったことである。といっても、母親が自殺しているとか父親が暴力的だったとかいうことで、その程度の良好ならざる家庭はさほど珍しくない。もっと劣悪な環境で育ちながら、強姦殺人など犯していない少年のほうが圧倒的に多いのは、言うまでもない。

一審判決に対し、検察側はこれを不服として控訴した。二〇〇〇年時点で判決はまだ確定してはいない。上級審で死刑判決が出る可能性はある。被害者の夫であり父である男性は、死刑を望んでいる。そして、マスコミが何度も報じたように、できれば死刑ではなく自分の手で犯人を殺してやることを望んでいる。

当然だろう。それが人間らしい感情である。私はこの被害者の遺族に全面的に共感するし、同じ立場に立ったら同じように思う。ちがう点があるとすれば、私なら犯人の死刑に絶対に反対するということだけだ。国家の手を借りるのは犯人の逃亡を防ぐことだけで十分である。私が殺す。妻と子の無念を晴らすには、それ以外にない。

私以外にも、この被害者の遺族に共感する人は多い。ところが、正気とは思えない批判をしている評論家がいる。

「文学界」今年二〇〇〇年六月号の時評欄で、若手評論家の千葉一幹《かずみき》は、次のように言う。

加害者である少年に死刑を望むと言う彼〔遺族〕の発言に対して多くの人間が賛意を

示し、殺せと言うのを耳にすると、正直日本とはどういう国なのかと、首を傾げざるをえない。

何に首を傾げるかというと、なぜそうもやすやすと被害者の家族である本村氏に同一化して、加害者を殺せなどと短絡的に言えるのかということに対して、またそう言う人々の人権感覚に対してだ。

本村氏のことをどれぐらい知っており、また裁判の審理の過程についてどれぐらいの知識があるのか、また加害者については母の自殺と父親の暴力という程度の情報しかなく、この加害者の声はほとんど聞こえてこない状態において、どうしてそうも簡単に一人の命を奪うことに荷担できるのか、不思議だ。

結局日本では人権思想が定着していないということであり、それは公教育においてまともな人権教育が為されていないことの証拠だろう。

引用しているだけでうんざりしてくる。この愚かな評論家は、人権以外何も言えないのだろうか。人権以外の価値基準は何も持たないのだろうか。人権が本当に真理であるかどうか一瞬たりとも疑ったことはないのだろうか。

人権への信仰告白を除けば、千葉一幹の主張は、被害者の遺族への共感はほどほどに、加害者の情報が不十分の時、怒りは慎重に、と言っているにすぎない。もちろん、一般論としては、ほどほどや慎重は心掛けておいていいことだろう。だが、悲惨な事件の被害者の遺族に、ほどほどを超えた共感をすることがなぜいけないのか。身勝手で残虐な加害者に、慎重を超えた怒りを覚えたらなぜいけないのか。何の不思議もない人間らしい感情ではないか。ことさらにほどほどや慎重を訴える千葉の正気を疑う。

しかも、引用箇所の後で、千葉一幹は石原慎太郎東京都知事の「三国人発言」に関連し、「不法入国した外国人」へのほどほどを超えた共感を平然と示し、石原発言についてどれだけの情報を持っているのだろうか、石原への慎重とは思えない怒りを書きつらねているのである。千葉の言っていることで唯一賛成できるのは、公教育における人権教育の徹底である。そのとおりだ、公教育で断乎としてやればいいのである、「顕教密教二重構造」ではない真実の人権教育を。

千葉一幹は評論家とはいうものの、専攻は文芸評論である。死刑や人権について、とくに詳しく論じた著作があるわけではない。死刑についてしばしば発言している菊田幸一について見てみよう。菊田は明治大学法学部教授で、死刑廃止運動の中心人物、著作も多い。だが、菊田幸一も人権以外の論拠は何一つ持っていない。『いま、なぜ死刑廃止か』で、菊田は言う。「死刑廃止は人権を守るための闘いである」と。

私だって似たようなことを言っている。死刑廃止は人間が本来持つ復讐権を守るための闘いである、と。人権がその名に反して人間性に何らの根拠も有さないことは、もうくり返さない。しかし、それ以上に、菊田幸一の主張やその領導する運動は、人間性を欠落させてさえいる。

私は、自分が山口県光市のような事件の遺族にならなくて、つくづくよかったと思うことがある。いや、誰でもそう思うはずだ。あんな悲劇には遭いたくはない、と。しかし、私は菊田幸一の主張や運動を見る時、被害者の二重の悲痛を察する。これは「セカンド・

レイプ」と同じではないか、と。

菊田幸一は、死刑廃止後の被害者遺族の救援措置として、民間人を含むカウンセリングを提唱している。カウンセリングと言えば聞こえはいい。遺族に助言してくれるのだから。だが、本当に助言してくれるのか。惨殺された妻子の無念を片時も忘れたことはなく、殺人犯にこの手で復讐してやろうと誓う遺族が、拳銃を安く確実に入手できるルートはないかと助言をもとめたら、しかるべきルートをちゃんと紹介してくれるのだろうか。否。カウンセリングとはいうものの、答えは決まっている。あきらめと泣き寝入りのすすめである。なぜあきらめなければならないのか、泣き寝入りをしなければならないのか。それが国家意志であり人権尊重だからである。

最愛の家族を殺され悲しみと怒りに震えている時、かくも無神経な連中を相手にしなければならないのである。私なら、このセカンド・レイプに耐え切れる自信はない。

復讐は不条理な人間の尊厳を保証する

私は、義務としての復讐を唱えているわけではない。制度として仇討ちを提唱しているわけではない。そういったものがどれほど人間性に反するものであったか、さまざまな記録がある。酒乱の喧嘩沙汰で切り殺された男の息子が、いやいや敵《かたき》を討つ話。つまらぬ主人の仇討ちで全国を訪ね歩き一生を棒に振った話。こんなものも珍しくない。

また、金銭貸借や恋愛のもつれにも復讐権の行使を主張しているわけではないし、目には目をの「同害報復」を説いているわけでもない。

穂積陳重の言うように、確かに文明の進化に並行して法制度は進化し整備されてきた。刑務所への収容と金銭的な賠償を適宜併用すれば、敢えて復讐権を行使しなくともすむことがほとんどだ。ここにおいて、法治国家は完成を見せつつある。もちろん、人権も単なる取り決めにすぎないのだから、法治国家の下位概念として、その中に包摂される。

だが、法治国家は本当に完成するのか。人間という不条理な存在を国民として丸ごと律しうるのか。国民の像と人間の像がほとんど重なりかけて、しかしほんのわずか絶対に重ならない部分が出てくるはずだ。

復讐は究極的には無目的な行為である。正確に言えば、復讐自体が目的である。復讐以外の方法、たとえば損害賠償で目的が達しうるのなら、復讐の必要はない。しかし、最愛の人を殺された人には、死んだ人が還ってくるわけがないのを承知の上で、復讐が必要である。功利的な法治国家と不条理な人間とがわずかに重ならない部分に、不条理な人間の尊厳を保証するものとして復讐はなければならない。

『論語』憲問《けんもん》篇に、こんな一章がある。

ある人が問うた。「徳を以って怨《うら》みに報いば、如何《いかん》」。質問者は、徳を以って恨みに報いるような寛容寛大な態度は、仁《じん》（人間らしさ）に適《かな》うのではないか、と思ったのだろう。しかし、この問いに、孔子はこう答える。それならば「何を以ってか徳に報いん」。徳を以って怨みに報いたならば、徳に対して報いるものはないではないか。それは徳への冒瀆である。「直《なお》きを以って怨みに報い、徳を以って徳に報ゆ」。徳に対してこそ徳で報いるべきである。怨みに対しては「直」で報いればいい。それが人間らしい（仁）ということなのである。

「直」は、率直の直、正直の直である。そのままという意味だ。怨みには、そのままの気持ちで対すればいいのである。怒りも悲しみも憎しみもあって当然である。あるいは相手を憐れむ気持ちや許そうという気持ちが湧くかもしれないが、それも含めての直である。

以直報怨、以徳報徳。人権なんぞよりはるかに深く人間を洞察している。

（『人権を疑え！』二〇〇〇・十・二十一）

［補論］

『人権を疑え！』に収録した二本の小論のうち残る一本が本稿である。人権と死刑にテーマを絞って論じてある。扱った事例のうちまだ裁判中のものがあったり、法改正が進行中のものもあるが、小さな修正を加えてその時点での論評である。他に言及例の改変もある。光市の母子殺人事件は、二〇一二年に死刑判決が確定したが、弁護団から再審請求が出されたものの、二〇二〇年末に特別抗告が棄却された。

本稿もまた二十世紀最後の年に執筆したものでありながら、今なお有効であることを自負するとともに、二十年間何も変わらなかったことに暗澹たる気持ちになる。

第二部 通説を疑え

伝統を知らない保守派たち

近年保守派・保守主義が優勢になっているらしい。何を「保守」すべきかといえば、まず伝統だろう。しかし、伝統の意味を誤解していては話にならないし、昨日今日の流行を伝統だと思い込んでいては大恥だろう。ところが、現実にはそういう論者が多いのだ。

保守系紙産経新聞に裏千家前家元の千玄室がコラムを連載している。二〇二〇年新年の一月十三日付では子供論・教育論を語っているのだが、これが何とも奇妙である。

最近小学校の〝騒音〟への苦情が多いが、「本来子供は元気に走り回り声を出すものだ」とし、万葉歌人山上憶良《やまのうえのおくら》の「銀《しろがね》も金《くがね》も玉も何せむにまされる宝子にしかめやも」を引用して「子供は社会全体で育て」るもの、とする。

論旨は常識論であり、それはそれでいいとして、ここに憶良の歌を引用するか。子供は社会の宝、国の宝だと言いたいらしいのだが、この歌はそういう意味なのだろうか。

憶良の歌の前には詞書《ことばがき》がある。

「至極の大聖すら、なほ子を愛したまふ心あり。況《いは》むや世間の蒼生《さうせい》、誰か子を愛さざらめや」（至上の大聖人釈尊でさえ、なお我が子への愛着に囚われている。まして世間の衆生は誰が我が子に愛着しないでいられようか）

たいていの対訳本には、この「愛」は現代的意味の愛ではなく、我執、執着という否定的な意味だと注釈が付く。「子煩悩」は字義通り考えれば、子供は知恵の完成を煩《わずら》わせ悩ませる存在だという意味になる。釈尊でさえ「子煩悩」なのだから、俺はうちの子が可愛くてしょうがないんだよ、誰だってそうだろ、というのが憶良の歌の主旨である。

子供は社会の宝だの国の宝だのとは正反対の歌であり、そこが名歌たるゆえんなのだ。新元号「令和」の出典が万葉集だというので民族派は大喜びし、万葉ブームも到来しているらしいが、代表的な名歌さえ誤読されている。

千玄室は、こんなことも言う。

「ちゃぶ台を家族みんなで囲み、ぜいたくではなくとも母親が作ったおかずを分け合って、その日にあった事柄などを子らが口々に話しながら頂いていた風景はどこかに消えてしまった」

大正生まれで私の両親と同世代の千玄室はこれを何か古き良き家庭像だと思っているようだ。

ちゃぶ台の登場は早くて明治中期、広がったのは昭和初期である。それまでは箱膳《はこぜん》が普通であった。食器の入った箱の蓋を裏返すと各人の膳になる。通常は一汁一菜。食事が終わっても食器は洗わない。湯をかけて箸でさらって飲む。それを箱にしまって終わり。私と同年の知人は名古屋郊外の農村で育ったが、昭和四十年の高校卒業まで箱膳の食事だった。

食事の時は「その日にあった事柄などを子らが口々に話し」たりしない。それはちゃぶ台や洋風のテーブルが出現してからの風習である。そもそも食事中は会話をしない。今でも禅寺ではそうだ。

伝統も古典も分からない保守派は何を保守しようというのだろう。

（二〇二〇・一・三十一）

［補論］

千玄室は他にもおかしなことを言っている。同じ産経新聞のコラム（二〇二〇年三月一日付）では「『和』を示し合う大切さ」と題して「日本人は行儀がよくて列を乱さずきちんと順番を守る国民といわれて久しいが、今も本当にそうなのだろうか」と慨嘆している。滅茶苦茶である。日本人は行儀がよくて列を乱さないといわれて久しくなんかない。そんな風習が定着したのはこの半世紀である。一九六五年私が進学で上京する時、父に「東京の人は電車の乗り降りが上手だぞ」と教えられた。事実、東京では電車のドアが開くと、まず降りる人のため乗客は左右に分かれ、降りる人がすんでから乗り込んだ。この方法が最も効率がよい。しかし、郷里の名古屋では押し合いへし合いであった。駅前のバス乗り場ではこれがあまりにもひどいので、生徒会役員が出て同級生をどなりつけていた。これは名古屋だけではなく、東京以外日本中で見られた。その東京でも駅には必ず「整列乗車」のプレートが貼ってあった。今ではこのプレートを目にしない。こういうことがあったのは、日本には行列・行進の習慣がなかったからである。参勤交代の大名行列はこれとは別種のものである。歩き方も現代人とは違っていたとは、武智鉄二が『伝統と断絶』で説くところだ。一九五四年一月二日には皇居二重橋の行列で圧死者が十六名出た。一九五六年元旦には新潟弥彦《やひこ》神社で百二十四人が死亡している。

世俗化する天皇制

二〇二〇年一月二十五日、国技館で天皇一家の大相撲観戦があった。天覧である。場内放送があると客席では歓声と拍手が沸き上がった。ラジオのニュースで聞いていると、口笛まで混じっていたようだ。

いやあ、驚いた。口笛は親しみの表現であり、からかいの表現でもある。友人の結婚式のパーティーで口笛が鳴るのも、こんな美人を嫁さんにしやがって、このヤロー、という気持ちからだ。戦後の象徴天皇制は、女性誌に見られるように芸能人天皇制になり、さらにトモダチ天皇制にまでなった。天皇制の世俗化である。

私は尊皇の気持ちがあるわけではないが、別の意味で天皇制の歴史や真実が知られなくなるのはよくないと思う。令和改元以来、マスコミも世論も、世俗天皇制の風潮に呑まれているようだ。

産経新聞では昨年来「記紀が描く国の始まり　天皇の肖像」を連載している。昨二〇一九年二月二十二日付の「国生みと神生み神話」とする囲み記事にこんな一節がある。

「〔女神〕イザナミから声をかけて国生みしようとした。しかし、しっかりした子が生まれなかったため、高天原に相談すると、男神から声をかけるように言われた」

この「しっかりした子が生まれなかった」て何だろう。

岩波古典文學大系『古事記・祝詞』では「生める子は、水蛭子《ひるこ》。此《こ》の子は葦船《あしぶね》に入れて流し去《う》てき」とし、水蛭子とは「手足のない水蛭《ひる》のような形をした不具の子の意」か「手足はあるが骨無しの子の意」と注釈する。要するに「不具の子」が生まれたので葦船に入れて海に捨てたのである。

産経の記事では世論に迎合して原意を改変している。だが、神が「不具の子」を海に捨てようが捨てまいが、俗人が口出しすべきことではないだろう。

朝日新聞は今年一月五日付で、伊勢神宮の初詣客が昨年より四万七千人増えたと報じ、「令和初」効果だとする。新帝が昨年十一月二十二日に伊勢神宮に参拝したことも大きいだろう。

しかし、天皇が伊勢神宮を参拝するようになったのは、明治以後のことである。明治より前は、天皇は伊勢神宮に参拝することはなかった。このことを私は学生時代に直木孝次郎の著作で知った。比較的新しい本では溝口睦子『アマテラスの誕生』(岩波新書、二〇〇九)に、こうある。

「天皇の伊勢神宮参拝は」「明治天皇の参拝が」「史上最初のものである」。「持統天皇や聖武天皇の伊勢行幸はあったが、その時も神宮への参拝はなかった」。

理由は、系統が違うからだ。

溝口は、日本神話の最高神に次の三つを考える。タカミムスヒ、アマテラス、オオクニヌシである。それぞれ由来が別系なのに最高神として扱われている。明治新政府の『人民告諭』は「天子様ハ天照皇大神宮サマノ御子孫様」とする。だが、溝口はアマテラスは「海路」に関わる神だと考える。

伊勢神宮参拝の記事でこれに触れたものを見ることはなかった。

(二〇二〇・二・十四)

［補論］

天皇制の芸能人化、トモダチ化は一九七〇年代に顕著になった。佐々淳行『菊の御紋章と火炎ビン』に、警備当局者として見た皇室と国民の姿がある。一九七五年九月、皇太子（上皇）夫妻一行が伊勢神宮に参拝した。近鉄賢島駅では「何千人という黒山のような大観迎陣」「あらゆる方面から、『ミッチーッ』『ミッチーッ』という『ミッチー・コール』が耳を聾する」。ミッチーとは美智子妃の愛称ではあるのだが、呼び掛けに使うまでになった。さらに群衆は「『握手ッ、握手ッ』『ミッチー、こっち向いて!!』と叫ぶ」「反対側が絶叫する。『狡いぞ、狡いぞ、ミッチーッ、こっちも握手だァ』」。握手って、ねえ…。そのうちサインをねだるようになったりして。天皇制論は、右側のも左側のも大衆に負けているような気がする。

江戸時代に日本国憲法？

少し前のことになるが、学生からこんなことを聞かれた。

「日比谷に昔は野球場があったんですね」

ん？　日比谷に大きな公園はあるが、そこに野球場なんて…。あ、そうか、こいつは老人たちが「宮城前広場」と言っているのを聞いて「球場前広場」だと勘違いしたのだ、と気付いた。

皇居という名称は、戦後の一九四八年改称以後のことであり、それまでは宮城と言った。戦後数年間の大規模なメーデー集会は宮城前広場で行なわれている。我々が当然のように使っている「皇居」は七十年余の歴史しかない。その「宮城」も一八八八年（明治二十一年）以後の名称だから六十年間だ。最も長期間使われた名称は奠都《てんと》以前の「江戸城」か「千代田城」である。千代田区はこの千代田城に因《ちな》む。

天皇家の住居の名称だけでも何度も変更されては忘れられる。

産経新聞に「100年の森　明治神宮物語」という連載企画がある。明治神宮造営にまつわる経緯や逸話を紹介していて興味深い。二〇二〇年一月三十日付には、こうある。

明治四十五年七月「明治天皇の病気が公表され」「二重橋前の広場には」「大勢の人々が昼夜集まり、回復を祈った」。これについて「九州産業大の平山昇准教授は『明治時代前半なら天皇に関心がない国民も多かったが、日清・日露戦争の勝利をきっかけに〈天皇のおかげ〉という意識と尊敬心が非常に高まっていた』と話す」。

明治二十年代までは「天皇に関心がない国民も多かった」のだ。

偶然にも「週刊文春」同年二月六日号の「出口治明の0《ゼロ》から学ぶ『日本史』講義」も、こう語る。

「明治政府は『オレたちも世界の新しいスタンダードに乗らなあかん』と考えます。そのために使ったのは何かといえば、『天皇』でした」

「新しいスタンダード」用に、それまで「関心がない国民も多かった」天皇が浮上してきたのだ。

幕末に来日したイギリスの外交官R・オールコックは、日本滞在記『大君の都』（岩波文庫）を残した。「大君」はタイクーン。「徳川将軍のことで、幕末に用いられた称号」（訳者まえがき）である。戦前に刊行された名国語辞典『大言海』で「大君」を引くと「①君主の尊称、②徳川氏の頃、外国との交際に就きて、将軍の別称としたる借号」とある。本義では君主を意味するが、二義的に徳川時代に外交上使われた「借号」でもある、と強調している。戦前の世相を考えれば、そうもなろう。

岩波文庫に付載されたオールコックの小論「日本における称号」では「世俗的な皇帝（大君）と天皇は、公式の称号の面で地位が同等」で「前者は法の施行がゆだねられ」「後者はただ神からさずかったという栄誉が付与されている」とある。

日本国憲法第七条（天皇の国事行為）と同じではないか。天皇による国事行為とは形式的・儀礼的な行為のことだ。江戸時代には日本国憲法の天皇観が既にあった?! じゃあ、明治の天皇観って何だったのか。

（二〇二〇・二・二十八／三・六）

［補論］

為政者レベルで見た天皇観と民衆レベルで見た天皇観にはかなりの乖離がある。前章で述べた芸能人天皇制化も同じことである。それはそれでいいではないかという声が、軟弱系右派や軟弱系左派から聞こえて来そうだが、本当にそうだろうか。日本国憲法第一条に「天皇は、日本国の象徴であり日本国民統合の象徴であって、この地位は、主権の存する日本国民の総意に基く」とある。しかし「国民統合の象徴」の受け取り方に先述の乖離や断絶があるのは、どんなものだろう。

〽連れゆけアルチザンよ

新型コロナウイルス感染症の拡がりで卒業式の縮小や延期が相次いでいる。卒業生には残念なことだがやむをえないだろう。

さて、ここで学校を卒業して職業に就くことについて考えてみたい。

三十年ほど前、ある老学究に話をうかがう機会があった。老学究が自分は子供の頃から学問で身を立てたいと思っていたと語るのを聞き、この古風な言葉がかえって新鮮に響いた。かつて卒業式の時に歌われた『仰げば尊し』の中に「身を立て名をあげ、やよはげめよ」の一節があった。しかし、これが〝封建的な〟立身出世主義だとして忌避され、歌われなくなっていた。久しぶりにこの言葉を聞いたのだ。

だが、教育社会学者竹内洋『立身出世主義』によれば、身分制の強固な江戸時代に立身出世は推奨されず、求められたのは身分相応であった。近代社会だからこそ立身出世が叫ばれたのである。

しかも、『仰げば尊し』が抹殺された頃から「ＢＩＧ」になるだの「成り上がり」だの「セレブ」に憧れるだの、立身出世主義が軽佻《けいちょう》浮薄《ふはく》な劣化版として再登場している。何のための抹殺だったのだろう。健全な立身出世主義の方がよかったのだ。

職業観の変化については、誤解が多い。「職人」も例外ではない。

この言葉は、現在プラスイメージでしばしば目にする。料理店の紹介記事で、工芸品店の看板で、工務店のキャッチフレーズで。しかし、こんな風潮は一九七〇年代からである。私の記憶では、最先端の職業として学生などが憧れたデザイナーやイラストレーターが「職人」を使い始めた。さして深い意味があったとも思えず、「芸術」という言葉が陳腐化したからだろう。彼らはたいてい「芸術大学」出身者だったことにもよると思う。

それ以前、「職人」は、少なくとも積極的によい言葉ではなかった。明治大正期、娘の結婚相手に、勤め人がいいか職人がいいかと問われれば、大半の親は勤め人だと答えたはずだ。職人は不安定で苦労の多い肉体労働というイメージだったからである。

例外は、反骨のジャーナリスト長谷川如是閑《にょぜかん》である。『ある心の自叙伝』他によれば、彼は日本を「職人の国柄」とし、空理空論ではない実践の気風がある、とした。一説には、職人という言葉を聞いただけで感動して泣いたという。たぶん伝説だと思うけれど。

一方、戦後の左翼知識人は職人を侮っていた。

小関智弘は小説家であり、本物の職人、旋盤工である。直木賞にも芥川賞にも候補に挙がり、専業の小説家になるように勧められながら、頑として旋盤工を続けた。

代表作『春は鉄までが匂った』に、こんな話が出ている。

詩人で社会評論家でもある関根弘は、こう言ったという。「アルチザンには、発見はあるが発明はない」。アルチザンとは、おフランス語で職人の意味。対義語はアルチストで、芸術家。職人はクリエイティブでない、だから駄目だ、というのだ。この連中がどれだけ創造的だったのだろうか。


（二〇二〇・三・二十）

［補論］
この十年ほどアーチスト（アーティスト）という言葉を見聞きすることが多い。ほとんどが歌手、演奏家である。但し、演歌歌手、三味線奏者などは、そう言わない。いわゆる洋楽、しかもポピュラー音楽の歌手・演奏家をアーチストと言う。少し前はミュー

ジシャンと言うことが多かった。このアーチストは、フランス語ならアルチストであるから、本来は芸術家、とりわけ画家などの美術家を指すことが多い。それがなぜか歌手・演奏家の意味で使われる。どうも愚劣な流行語である。「アーチスト」と「歌手」とでは文字数が倍以上違う。これだけで新聞・雑誌の紹介記事の文字がかなり食われる。その分詳しい記事が書けなくなるのだ。アーチストと名乗る連中は自分で自分の首を絞めている。

酒は大人になってから？

二〇二〇年三月十日付朝日新聞に皇宮警察の不祥事を報じる記事が出ていた。「皇宮警察学校の学校長と未成年の学生らが懇親会などで飲酒をしていたことが」発覚し「30人前後が処分される見通し」だという。高校卒業後すぐの未成年学生が混じっていたのである。記事は続いて、施設内で「みだらな行為」をしていた男女の護衛官（皇宮警察所属）や入浴中の同僚女性を「のぞき見」した男性護衛官も処分されることになった、とする。

みだらな行為やのぞき見の方は、確かに処分も当然だろう。しかし、未成年学生の懇親会での飲酒の方はどうだろうか。

未成年者の飲酒は、大正十一年（一九二二年）の未成年者飲酒禁止法で禁止されているし、喫煙も明治三十三年（一九〇〇年）の未成年者喫煙禁止法で禁止されている。しかし、現実にこれがどれだけ守られているか。

五十年ほど前の私の学生時代、政治問題や学内問題で学生たちが騒ぎ、一九六九年には大学管理法が成立するまでになった（二〇〇一年に廃止された）。この法律の成立自体がまた運動の標的となった。しかし、私は大管法など敢えて作らなくても、未成年者飲酒・喫煙禁止法で学生をいくらでも取り締まれるではないかと思った。

当時入学シーズンになると、自治会や政治党派、またそれらの息のかかったサークル、思想傾向が近いゼミなどが新入生を勧誘し、歓迎コンパを開いた。新入生の大半は未成年だし、在校生の中にも未成年者はいる。そこへ警官が踏み込めば一網打尽ではないか。

正確に言うと、この二法で未成年学生を逮捕・投獄することはできない。この法律は未成年者を保護・救済するためのものだからである。罰せられるのは、未成年学生の飲酒・喫煙を見逃していた親権者、またその代行監督者である。先輩学生やゼミの教授を代行監督者と言えるかどうかは微妙なところだが、少なくとも参考人として取り調べはできるだろう。また未成年学生も、飲酒・喫煙の非行をしていることは間違いないのだから、補導の対象にはなるはずだ。そうだとすれば、説論のため半日やそこらは警察署に留め置くことはできる。これで、全国学生総決起大会など総崩れではないか。

しかし、私の不安は杞憂に終わり、学生運動に未成年者飲酒・喫煙禁止法が適用されたことは一度もない。

考えてみると、そんなことをすれば企業などの新入社員歓迎会にも同じことをしなければならなくなるからである。中卒・高卒の新入社員や人事課長を全国でしょっぴいていたら、日本経済は麻痺してしまう。

とすると、今回の皇宮警察の処分は、どこに波及するか。興味津々ではある。

二〇一六年の十八歳選挙権制を機に民法でも二〇二二年から十八歳で成年とすることになった。しかし、なぜか飲酒・喫煙禁止法は二十歳以上を成年としている。

（二〇二〇・四・三）

［補論］

ここに論じた未成年者飲酒禁止法・喫煙禁止法の話はほとんどお笑いネタのようなものであるが、実は法律の限界という大きな問題と関係してくる。

少し古くなるが、二〇一一年五月五日付産経新聞に「86歳母　孤独な死」という大きな記事が出ていた。兵庫県の民家の二階で死後二ケ月の老女の遺体が発見された。老女は二人の初老の息子とこの家に三人で住んでいたのだが、老女はほぼ二階で生活し、息子の一人は一階で生活し、もう一人は自宅を空けることが多かった。二人の息子は老女をそれぞれが病院に入院させたと思い込み、家で見かけなくなっても気にかけなかったという。当地の警察は捜査はしたものの立件は見送った。「道徳的に問題はあっても、法的には問題ない」からだという。

道徳や習俗は、法律と重なり合いながら、厳然と管轄範囲が違う。未成年者の飲酒・喫煙は道徳や習俗上では必ずしも禁止されない。しかし、法律上では明文で禁止されている。こちらは「道徳的には問題はなくとも、法的には問題がある」。その限界線上に、こういう事例が起きるのである。

カタカナ語の根底に

二〇二〇年三月二十三日付朝日新聞夕刊の「素粒子」欄に、こうあった。

「カタカナ解説に戸惑う。オーバーシュート、ロックダウン、クラスターって、何だ。」

コロナ禍で目にすることになった新語を批判している。全く同感だ。このうちクラスターだけは統計学や分子科学の用語でもあるので、これを使うのはやむをえないとして、あとの二つは何でこんなカタカナ語を使うのだろう。コロナ感染者の爆発的増加を表現する言葉が必要なら、オーバーシュート（度を越す）などと言わず「爆増」とでも造語すればいいではないか。ロックダウンも、これでは岩rockが落ちてくるみたいだ。錠lockを下ろすのだから「都市封鎖」でいいだろう。

これらのカタカナ語を得意気に使ったのは小池百合子東京都知事と安倍晋三首相である。安倍首相はさらに二十七日の参院で、東京五輪を二年も長期延期すると「モメンタムが失われる」と発言している。各紙は「勢い」と説明を付けた。政治家はよほど英語が得意で、つい英語が口に出るらしい。

では、日本語はどうか。小池知事は措くとして、安倍首相の国語力は高校生以下だ。「AERA」二〇一九年五月二十日号は、同四月三十日の先帝「退位礼正殿の儀」での安倍大失言を報じている。

「両陛下には末永くお健やかであらせられますことを願っていません」

戦前なら政権崩壊だ。緊張のあまり舌がもつれたというわけではない。「国民代表の辞」を読んでの失態である。否、読めなかったのだ。当然、文書には「願って已ません」とあった。文書を作成した高級官僚は、真逆ここに振り仮名が必要だとは思わなかったのだろう。「真逆《まさか》」なら必要かもしれないが。ああ、已《や》んぬるかな。

己・已・巳の違いは高校までに習う。「已」は「すでに」「やむ」と訓む。音なら「い」。已然形の「い」だ。むしろ「い」と読めただけエラいので、安倍首相には部分点を進呈しようか。

カタカナ語濫用の根底には、英語や仏・独語は高級な言語で日本語は劣った言語だという卑屈で歪んだ欧米崇拝意識がある。差別語認定された言葉をカタカナ語に言い換えるのは、その好例である。差別語認定されたらその愚を徹底的に批判してやるのが本筋だろう。同じ意味の英語に言い換えて「良い言葉でしょ」と得意がっても何の意味もない。

三月二十三日付朝日新聞は、コロナ禍で静まり返ったニューヨークをこう描く。

「警備員の男性が嘆くようにこうつぶやいた。クレージーだ」

クレージーを日本語で表記できない方がクレージーだろう。

二〇一八年九月五日付産経新聞は、ゲームクリエーター田尻智を紹介する連載記事の見出しを「フリークが集まった」とし、本文中で「フリーク（心酔者）」と説明している。ゲームクリエーターには説明がないのもおかしいが、フリークを「心酔者」とするのももっとおかしい。私が説明したいが、残念、もう字数が足りないや。

（二〇二〇・四・十七）

［補論］

雑誌連載では「もう字数が足りなかった」が（ホントかな）、この補論では余裕があるので詳しく説明しよう。フリークfreakは「奇形」である。俗語では「〜狂」の意味にも使われる。「心酔者」ならadmirerかdevoteeだろう。新聞では「奇形」も「〜狂」も使えないので「心酔者」としたわけだ。滅茶苦茶である。同様の例が「レームダックlame duck」だ。この言葉は一九八〇年代から新聞などで見かけるようになった。任期切れ真近の政治家などを指す。レームダックとは「びっこのアヒル」のことで、もう使いものにならないのでつぶして食うという意味だ。日本で使われ始めた頃は「よたよたのアヒル」などと、よく分からない注が付いたが、最近では「死に体」という相撲用語が使われることが多い。土俵際で残してはいるのだが体勢は既に崩れている時などに使う。それなら初めから「死に体」と言えばいいではないか。〝高級な言語、英語〟で言ったはいいが、その意味は日本語にできないのである。表現の不自由が絶対的正義となっている現代の奇観と言うべきだろう。

誤読する愚か者

新型コロナ禍が深刻化する中で、不幸中の幸いと言うのも変だが、予期せざる好現象が報道されている。二十世紀の古典、A・カミュの『ペスト』（一九四七年）がよく読まれているという。文庫本ベストセラー第一位にも挙がっている。外出自粛令が発出される中、ただ無為に引きこもるより普段読めない古典をひもとくのは災いを福に転じる契機になるだろう。

『ペスト』好調をいち早く本格的に論じたのは「文學界」二〇二〇年五月号の翻訳家鴻《こうの》巣友季子《すゆきこ》の評論である。ここで鴻巣は『ペスト』を的確に次のように評価している。

「人類にランダムに襲いかかる致死性のなにか、その不条理さ」を「表現したもの」だ、と。

カミュの作風は「不条理の文学」と呼ばれる。しかし、普段はまず使わない「不条理」という言葉で象徴されることによって、特に日本ではカミュは歪んだ読まれ方をするようになった。カミュの代表作として挙げられるのは、『ペスト』より五年前の『異邦人』であり、主人公ムルソーの異常な言動、すなわち「不条理」な人物による「不条理」な殺人を描いた衝撃作である。これを異常な犯罪による既成秩序の破壊と読む傾向がしばしば見受けられた。

ずっと前にも本欄で取り上げた「犯罪者同盟」の平岡正明が、ある読書雑誌のアンケートで『異邦人』を愛読書に挙げているのを読んで、ああ平岡もこれを誤読したのだなと思った。もっと驚き不快になったのは、二〇〇一年の大阪教育大附属池田小学校における児童無差別殺傷事件の犯人宅間守の暴言である。宅間は公判廷で、裕福で安定した家の子供でもわずか五分、十分で殺される不条理を分からせてやりたかった、とわめきたてた。どこかで聞きかじった「不条理」という言葉で、凶行を正当化したかったのだろう。こんなゴミ人間に不条理を啓蒙していただく必要はどこにもない。

こういう誤読が起きるのは、まず「不条理」という訳語が原因である。原語はフランス語でabsurde、英語ならabsurd、綴字と発音は少し違うが、意味は同じで「ばかばかしい」「不合理な」である。語源もab（全く）surde（愚かな）である。だからといって出版社にしろ翻訳者にしろカミュ文学を「ばかばかしい文学」とするわけにもいかない。「不合理の文学」

でも意を尽くせない。そこで「不合理」と同義であまり使われていない「不条理」を訳語にしたわけだ。

カミュが不条理・不合理を描くのは、西洋に一貫して流れるキリスト教的思想を否定するためだ。この世は神の定めた「合理」に貫かれており、人間もまた「合理」に生きる、とする思想である。しかし、ペストの病禍にしろムルソーの凶行にしろ、「不合理」そのものだ。世界の本態はそのようにある。だが、人間は神に刑せられたギリシャ神話のシジフォスのように、絶望的な努力を喜びをもって繰り返す。『ペスト』の医師リウーもまた一人のシジフォスである。

カミュを誤読しないためにもコロナ禍の下《もと》『ペスト』を読むべし。

（二〇二〇・五・一）

［補論］
邦訳が誤読を誘いやすい例は他にもある。みすず書房から邦題は違うけれど原題が同じ本が二冊出ている。もちろん原著者は別人であり、訳者も別人である。一つは、一九六三年刊、ヒュー・トマス著・都築忠七訳『スペイン市民戦争』。もう一つは、二〇一

一年刊、アントニー・ビーヴァー著・根岸隆夫訳『スペイン内戦』。原題はともにThe Spanish Civil War、一九三六年から一九三九年に至る内戦を扱った著作である。戦争は通常、国と国が戦火を交えることだが、一国内の複数勢力が戦火を交えることがある。「内戦」もしくは「内乱」である。これは英語ではcivil war、直訳すれば「市民戦争」だが、印象はかなり違う。アメリカの南北戦争もThe Civil Warである。これも「市民戦争」とすると少なくとも日本人には分かりにくい。日本の応仁の乱は、文字通り内乱、あるいは内戦だが、英語ではOnin Civil Warである。応仁市民戦争。うーん。当時まだ「市民」は成立してないんだけど。この「市民戦争」は英語圏以外でも同様の表現になる。ロシヤ語でもプガチョフの乱は「プガチョフ市民戦争」。農奴中心の反乱なんだけど。

宗教とコロナ禍

コロナ禍の中で先賢たちの逸話を思い出した。

福沢諭吉の『福翁自伝』（明治三十二年）の初めの方に、十二、三歳頃のこんな回想がある。

「神様の名のある御札《おふだ》を踏んだら如何《どう》だろうと思って、人の見ぬ処《ところ》で御札を踏んでみたところが何ともない。ウム何ともない、コリャ面白い」

いたずら坊主丸出しでありながら、合理主義の精神が輝いている。

次いで、お稲荷《いなり》様の社《やしろ》に同様のいたずらを試みる。社の中に何が入っているか興味があり、開けてみると、ただの石ころが入っているだけだ。そこで、この石ころを捨て、別の石ころを拾ってきて社の中に入れた。それと知らぬ大人たちが御神酒《おみき》を上げたりしているから「可笑《おか》しい。馬鹿め、乃公《だいこう》〔俺様〕が入れて置いた石に御神酒を上げて拝んでいる」

こんな風で「幼少の時から神様が怖いだの仏様がありがたいだのということは一寸とも

ない」。

柳田国男も似たような少年期の回想を二度書いている。『妖怪談義』（昭和十一年）中の「幻覚の実験（実体験）」と『故郷七十年』（昭和三十三年）中の「ある神秘な暗示」である。

柳田が十四歳の時だ。身を寄せていた縁者の屋敷の裏庭に石の祠《ほこら》があった。いたずら坊主だった柳田は「誰もいない時恐る恐るそれをあけてみた」。中にはきれいな石の玉が入っていた。このことが気になっていたためか、半月ほど後、土いじりをしていて首を上に向けると青空に「数十の昼の星」が見えた。柳田はこれを冷静に「異常心理」「幻覚」としている。

学問として民俗学を樹立した柳田らしい逸話だ。

二人の先賢が幼年期に抱いた神仏への懐疑は、実は誰しも思い当たる。違うのは、その後だ。福沢はそれを生涯貫き、柳田はその「幻覚」が文化の一つの柱になっていると気づいたことだ。大多数の人は幼年期の素朴な懐疑をただ忘れ、失ってしまう。

さて、話は冒頭に戻ってコロナ禍である。この二ケ月間、宗教全負けではないか。

二〇二〇年四月八日付朝日新聞は、パキスタンやインドのイスラム教礼拝所で、濃厚接触を禁ずる政府当局と信者たちとの衝突を報じている。四月二十四日からはラマダン（断食月）が始まったが、日没後大勢で集まる食事会ができない。そもそも神《アラー》は何をやっとるんだ。

キリスト教も同じ。四月十二日は復活祭だが、バチカンは教皇ら少人数だけのミサを行なった。信者が集まるほど死者がふえるので礼拝を自粛させたのだ。「死よ、お前の勝利はどこにあるのか」（コリント前書）って、何だったのだろう。神よ、お前の勝利はどこにあるのか。神、負けてるぞ。

仏教・神道も同断だ。七月に予定されていた京都祇園祭の山鉾巡行が中止になった。祇園祭って疫病退散の祭りだったはずだ。こっちも闘う前から負けているではないか。

どうも私に福沢諭吉の霊が取り憑いたようだ。いや、柳田国男の体験した幻覚かもしれない。

（二〇二〇・五・二十二／二十九）

［補論］

柳田国男の『妖怪談義』は柳田の著作の中でも十指《じっし》に入る有名なものであり、その中の一篇「幻覚の実験」は柳田の資質を論じる上でしばしば言及される。それについてはまた別の機会に譲るとして、この「実験」という言葉が今では分かりにくくなっている。「幻覚の実験」というと、心理学の実験《エクスペリメント》のように受け取られかねない。しかし、柳田は「体験《エクスペリエンス》」という意味で使っている。そこで私はかっこを挿入して「実体験」と補ったわけだ。ところが、この「実体験」という言葉は、しばしば耳にするのに、ほとんどの辞書に採録されていない。少なくとも私の手元にある何冊かの国語辞典には載っていない。この「体験」が嘘ではないと強調するため「実」を付け加えた一種の新語なのである。もちろん、柳田の体験は嘘ではない。しかし自分でも認めているように「異常心理」の体験であり「幻覚」の体験なのである。

危険でリアル

最近、ドイツの政治学者カール・シュミットの有名な言葉を目にすることが多い。『政治神学』（未來社）の冒頭の一節だ。

「主権者とは、例外状況にかんして決定をくだす者をいう」

例外状況とは秩序の例外状況という意味であり、戦争、内乱、天変地異のことだ。こうした状況では、議会主義も法治主義も無力・無意味になり、むき出しの統治権力のみが有効になる。こういう事態を議会主義や法治主義の側がぎりぎりの際《きわ》で想定したものが軍事法規や戒厳令である。これらは、法治が無意味になった時の法治と言えよう。

シュミットへの言及が最近多いのは、コロナ禍対策として緊急事態宣言が発出されたからだ。これは広義の戒厳令の一種、あるいは戒厳令の隣接分野である。

シュミットの政治思想は、このようにリアルと言えばリアル、危険と言えば危険な思想である。現にシュミットはナチスに利用され、戦後四半世紀ほど強く忌避されていた。未來社からシュミットの著作が何冊も刊行されたのはようやく一九七〇年前後のことである。私もその頃、同シリーズの訳者の一人、政治思想史家橋川文三を経由してシュミットを知った。

シュミットが戦後期どれほど忌避されていたかは、民族学者（文化人類学者）石田英一郎が「『歴史のあけぼの』について」（石田英一郎全集第八巻）で語るエピソードによく表われている。マルクス主義系の歴史学者松島栄一は、石田がある座談会で民族学者ウィルヘルム・シュミットを引用したことを「ナチス民族主義」に加担していると非難した。カール・シュミットと間違えているのだ。民族学とかシュミット姓というだけでナチス扱いされかねない時代であった。

こうしてシュミットは思想のみならず当人も忘れられていった。亡くなったのは一九八五年四月七日。当年九十七歳。訃報に接して、逆にまだ生きていたのかと驚かされた。老人施設で人に知られず、独り亡くなったらしい。

朝日新聞がその訃報を載せたのは、亡くなって二ケ月たった六月四日。しかもその半月後の六月二十日に訂正記事が出た。「死亡記事」の「カール・シュミット氏の写真は別人のものでした。訂正します」。顔さえも忘れられていたのだ。ひょっとしてウィルヘルム・シュミットの写真だったりして。

歴史を翻弄し歴史に翻弄されたカール・シュミットだが、我々はそのリアルな政治観から学んでおかなければならない。

今回の緊急事態宣言は遅きに失した感がある。もう少し迅速なら罹患者・死亡者はさらに少数だったろう。一方、宣言の根拠となる改正特措法に反対した山尾志桜里衆院議員の「緊急事態宣言は基本的人権の制限効果をもたらす」という批判も間違ってはいない。事実、緊急事態宣言によって軽度なものであれ人権制限は生じた。

秩序を護り人命を護るために人権が制限されなければならないことが「例外状況」には起きる。そのことを我々は忘れていたか、気づかなかったのである。戒厳令、（戒厳状態にする法令、の意）に関する議論も進めておく必要があるだろう。

（二〇二〇・六・十二／十九）

［補論］

二〇〇一年九月十一日のアメリカ同時多発テロ事件（9・11）、さらにその十年後の二〇一一年三月十一日の東日本大震災（3・11）を機に、憲法に「緊急事態条項」を盛り込むべきだという声が出始めた。当然と言えば当然であるが、こういう法律の意義、さらには政治、国家、統治ということに普段から関心を持っておかなければならないだろう。緊急事態とは、本論で述べたように「例外状況」とほぼ同じ意味で、国家秩序・法秩序の範囲外、その及び得ない状況のことである。そういう時には、統治権力は法という鎖を解かれてむき出しになるし、むき出しにならざるを得ない。「そのぎりぎりの際」にあるのが軍事法規や戒厳令なのである。法秩序が無効になった時の法・令だからである。それよりさらに一歩法秩序の内側にある、ゆるい緊急事態に関わる法もある。日常的に接するパトカーや消防車に関する交通法規である。これらの車輌が緊急車輌と呼ばれ、「緊急」の場合は信号無視も許されるのはそのためである。我々は実は意識せずに「軽度の戒厳」に常に接触しているのだ。これが被統治者、すなわち国民の側に認められているのが、正当防衛や緊急避難である。普段の生活の中にも「例外状況」は潜在している。

南島綺談

コロナ禍も一段落《いちだんらく》。第二波第三波への懸念はあるものの、人々の顔にも落ち着きの色が見られる。私もコロナテーマから一時離れ、ゆるネタを扱ってみよう。

二〇二〇年六月三日NHKラジオのニュースの最後に訂正があった。

「先程のニュースの中で、マーシャル群島と申し上げましたがマーシャル諸島の誤りでした。訂正いたします」

えっ、マーシャル群島って差別語だったのか。驚いて調べてみると、そうではなかった。外務省の定めた正式国名が「マーシャル諸島共和国」だからである。戦前の委任統治期は「マーシャル群島」であった。「ローマ法王」が「ローマ教皇」に変わったようなもので、だからといってA・ジイド『法王庁の抜け穴』が絶版になるというものではない。これと同じなのである。

私が「マーシャル群島」も差別語かと早合点したのは、この言葉が放送禁止歌『酋長の娘』の中に出てくるからである。

この歌については、三年前の二〇一七年にも本欄で少しだけ触れたが（『日本衆愚社会』所収）、「酋長」だの「色は黒いが南洋じゃ美人」だの「明日は嬉しい首の祭」だの、アブナイ歌詞が頻出する。そのため現在は言葉を改竄《かいざん》しなければ歌えない。あたかも宗教弾圧下で隠れキリシタンが信仰を守るためにマリア像を観音像に作り変えるようなものだ。恐しい時代になった。

この『酋長の娘』には「赤道直下マーシャル群島」という一節も出てくる。これは表現の不自由認定されていなかったが、とうとうこれもと勘違いしたのだ。表現の不自由に敏感になりすぎていた。

ところで『酋長の娘』には表現の不自由問題とはまた別の問題がある。私がこの歌を知ったのは、小学校高学年の頃だった。この中に出てくる「ラバさん」の意味が分からず「騾馬さん」かと思った。

中学に入り英語を学ぶようになって「loverさん」、すなわち恋人の意味だと分かった。酋長の娘を恋人にしたのである。

しかし、問題はまだ続く。

年頃でもありポップスに興味を持つようになった。『恋人よ、我に帰れ』もその一つだ。この「我に帰れ」って、どういう意味だろう。ボンクラ中坊同士で議論になった。恋人が遊び人の男にまどわされているが、俺のもとに帰れなのか、冷静になって正気を取り戻せなのか。両様に取れる。これはすぐに解決がついた。原題がLover, come back to meだからである。俺のもとに帰れである。

さらに高校生になって辞書を引いていて気づいた。loverは通常男性、それも遊び人を指す場合が多い、とあった。歌の主人公は女性。彼女が遊び人の恋人に、あたしのもとに帰って来てよと呼びかけているのだ。

まだ続きがある。

じゃあ、バッハ原曲の『ラバーズコンチェルト』は、どうか。遊び人の男同士の禁断の恋なのか。いや、複数形の場合は男女の恋人同士らしい。

ともあれ「私のラバさん酋長の息子」ではないようである。

（二〇二〇・七・三）

［補論］

loverは「恋人」ではあるが通常男性を指すとすれば、その逆、女性の恋人は英語で何と言うのだろう。sweetheartである。ただし、少し古い言葉である。三十年ほど前、アメリカ人の前で、彼女は某君のsweetheartだ、と言ったら、プッと吹かれた。その頃でも少し古い言葉だったらしい。もともと中世に溯る言葉だという。しかし、最近では日本アニメのテーマ曲に「my sweet heart」がある。アメリカではもっと軽い意味でも使われているようだ。

次は日本でも火かな？

二〇二〇年五月末アメリカで偽札使用容疑の黒人男性が拘束される際、過剰な制圧方法によって死亡した。既に手錠がかけられていたにもかかわらず、警察官によって地面に転がされ頸部を膝で圧迫された結果死んだのである。この黒人男性は窃盗や強盗の前科があるとはいうものの、これが白人男性であればこのように過剰な制圧はされなかっただろう。日本でも最近の事件・事故に関して〝上級国民〟には警察の扱いが甘いという声が出ている。これが本当かどうかはともかく、アメリカでは黒人が〝下級国民〟として警察に苛酷な扱いを受けている。黒人差別の現実である。

今回の事件を機に全米で黒人差別への抗議運動が起こり、一部では暴動・略奪まで発生している。こうした「運動の広がり」は、さらに隣接分野にも飛び火した。

六月二十六日付朝日新聞は「『風と共に去りぬ』配信停止　時代の風」と題して、この映画に批判が起き「解説動画付きで」配信するようになったことを報じている。「奴隷制

を美化　黒人死亡事件で差別抗議」というわけだ。

この飛び火に、さらにもう少し油を注いでみようか。

金水敏《きんすいさとし》という国語学者がいる。

「役割語」という概念の提唱者で、関連する著作も多い。役割語とは、人物の職業・所属などを象徴する言葉使いで、ほとんどは架空のものであるが、ドラマやマンガなどに頻繁に登場する。例えば、博士は「わしは博士じゃ」などと言う。金水は講演会などで、僕は国語学で博士号を取ってますが、「わしは博士じゃ」などと言ったことは一度もありません、と話す。確かにそうだ。こういう言葉は、人物の役割を表現するために作られた。

役割語は前述の通りマンガにもよく使われるので、私は金水主催のシンポジウムに招かれて発言したことがある。用意したプリントの中にマンガの他に『風と共に去りぬ』（大久保康雄・竹内道之助訳、新潮文庫、二〇〇八年六十一刷）のコピーも入れ、これも役割語の一種でしょうね、と尋ねた。金水はそうですと頷いた。

『風と共に去りぬ』の中で黒人奴隷はこんな風に話す。

「こまりますだ！　ビートリス奥さまに叱られるのは、おいら、おまえさまがたがこわがるより、もっとこわいですだよ」

原文ではどうなっているんだろう。黒人は十分な教育が受けられなかったこともあり、文法的におかしい黒人英語を話す人もいる。二重否定が変だったりするのだ。でも黒人が東北弁は話さないだろう。そもそも南部の物語だし。

正確には、この訳文は東北弁でさえない。明治前後に、落語や講談などで語られた疑似田舎弁、まさしく役割語である。東京に近い千葉や埼玉から奉公に来た人たちの言葉が元になったらしい。

さて、日本語訳『風と共に去りぬ』の中で、誰が誰を差別しているでしょう。白人が黒人を。日本人が黒人を。東京人が東北人を。都会人が地方人を。次は火だ?

（二〇二〇・七・二十四）

［補論］

役割語の一つに「兵隊支那語」がある。日本軍の大陸進出期に盛んに使われた一種のピジン語（自国語と外国語の混淆《こんこう》語）である。昭和三十年代に貸本で大人気だった前谷惟光《これみつ》『ロボット三等兵』にも、現地で材木を求めると「それじゃ買うよろし」「一万円あるよ」「不景気あるね」と出てくる。一方、南洋諸島の原住民「クロンボ二等兵」は「日本軍のようすをしらべにきたのです」「また日本刀だ」と普通の日本語を話している。こういう例から、私は兵隊支那語は孤立語を話す支那人が膠着《こうちゃく》語である日本語を話すために生まれたのだと考えていた。孤立語とは孤立した言語という意味ではなく各語が独立している言語という意味だ。支那語の本を開けば、各文字が独立しているのが分かる。膠着語とは各語が活用や助詞・助動詞でくっついている言語である。これに曲用（格変化）が加わると屈折語になる。兵隊支那語の私見について金水敏に話したことがあるが、言下に否定された。ちょうど今その研究をまとめているところです、と言う。二〇一四年刊の金水敏『コレモ日本語アルカ？』（岩波書店）だ。帯に「〈アルヨことば〉の源流をもとめ、横浜へ、満洲へ」とある。資料を博捜《はくそう》した好著となっている。

バルトリン嬢の憂鬱

コロナ第二波が来ているような気配である。対策は医学・疫学の専門家に任せるよりしかたがない。私にできることは、コロナ関連の社会現象を論じることだけだ。

この疫病、またその病原体を何と呼ぶか。学術的にはCOVID—19（Novel Coronavirus disease 2019 新型コロナウイルス病二〇一九年）だが、日常語としては分かりにくい。通常、新型コロナ、さらに略してコロナ、あるいは発生地にちなんで武漢ウイルスである。

このうち武漢ウイルスは不名誉な名称だとして支那政府は反撥している。しかし、二〇二〇年四月三日付産経新聞は支那の環球時報でさえ武漢ウイルスと表記していたと指摘している。私は字数も少なくて便利なのでコロナとするが、発生地を明示する意味で武漢ウイルスも否定することはないと思う。

そもそも、病気など負《ふ》の事例に地名を使うことは珍しいことではない。水俣病、四日市喘息など公害病には地名がつく例がある。ヒロシマ、ナガサキは、人類史的悲劇を世界中が記憶するため、被爆を象徴する言葉となっている。

とはいえ、無用の混乱を生む名称もある。

現在コロナの治療法について模索が続けられている。その一つに、コロナに川崎病と類似の症状が見られるという報告がある（七月三日付朝日新聞）。ただし川崎病には伝染性はなく症状が類似するだけだが、治療法の併行開発も可能になるかもしれない。

さて、この川崎病の発見者川崎富作博士が二〇二〇年六月五日に亡くなった。九十五歳であった。数年前まで現役の小児科医として診療を続けたという。川崎病は川崎博士が一九六一年に発見し一九六七年に論文発表したので、この名称となった。

しかし、発表当時日本は公害列島と呼ばれたほどあちこちで公害が発生しており、工業都市川崎も大気汚染に悩まされていた。そのため、川崎病は川崎市で起きた公害病だとの誤解が広がり、川崎市は多大な迷惑を蒙った。半世紀を経た現在、川崎市は公害禍を克服し、東京隣接の人気住宅地となっている。

医学的な発見・発明には、川崎病に限らず、発見者・発明者の名が付くことが多い。もちろん、その栄誉を称えてである。パーキンソン病はイギリスの医師パーキンソンの発見によるものだ。コロナ予防の効果が期待されているBCGも、フランスのカルメット（C）とゲラン（G）が開発した弱毒桿菌（B）の頭文字を組み合わせた名称だ。人体の各部位も、解剖学者の名称が付けられる。マルピーギ小体もチン小帯もウェルニッケ野《や》もそうだ。

こうして病気名でも子々孫々まで一族の誉れとなるのだが…。

十七世紀デンマークのバルトリン家は解剖学者を輩出している。バルトリン腺、バルトリン液もその名を冠したものだ。だが、私は、子孫の女性、特に娘たちは近所の悪童たちのからかいの的になったり、痴漢に狙われたりしたのではないかと、心配になる。誉れも良し悪しである。

（二〇二〇・八・十四／二十一）

［補論］

広島・長崎の被爆は人類史的悲劇であり、これを記録する施設などが作られている。本文に書いたように、ヒロシマ・ナガサキという地名が悲劇そのものを象徴するようになっている。しかし、一方でこれを嫌だとする被爆者もいるし、一般の市民もいる。好奇の目で見られる、さらには差別的な扱いをされる、という声も聞く。人間の心理の複雑さである。〝被爆者〟の心理はさらに複雑である。被爆の悲劇を記録し続けてきた伊藤明彦の名著『未来からの遺言―ある被爆者体験の記録』は、一九八〇年の元版が長らく絶版で古書価も暴騰していたが、二〇一二年に岩波現代文庫に収録された、と思っていたら、これまた絶版でやはり古書価が暴騰している。名は残らなくてもいいけど実績は残らなければならない。

次は花火だ

コロナ禍はさまざまな分野に影を落としている。

夏も終わろうとしている今、昨二〇一九年まで各地で催されてきた花火大会のほとんどが中止に追い込まれている。むろん三密を避けるためだ。一部の地方では、開催場所を予告せずハプニング的に何発かの花火を打ち上げることも行なわれた。これはこれで面白い試みではあるが、やはり本来の花火大会に較べれば魅力は半減である。

花火大会は例年日本中の約四百箇所で開催されている。恒例化し親しまれすぎているために気づかないが、これは壮大な「現代芸術」である。三年前まで私が住んでいた隣町では、毎年六月に川原で花火大会が開催される。費用は協賛金と公費でまかなわれるため観覧料不要で、その日は町の人口が二倍になるほど人が集まる。私もほぼ毎年鑑賞しているが、その見事さには感動する。花火の発色も形も毎年進化し、全体のストーリーもコンピューター制御で緻密に作られ、伝統技術の上に花開いた現代芸術だと実感した。

現代芸術と言えば、ちょうど一年前、昨二〇一九年八月の「あいちトリエンナーレ」の「表現の不自由展」を思い起こす読者も多かろう。私も本欄でこの愚行を強く批判しておいたし、今なおこの愚行の責任をめぐって議論が続いている。

これら現代芸術なるものは、しばしば「実験的」と表現される。この言葉は現代芸術の本質を言い当てている。今コロナワクチンの開発が急がれているが、いずれも実験段階であり、二〇二〇年の夏の時点で製品となったものはない。近い将来それが成功したとしても、その陰には廃棄物となった「実験作」が累々とある。これを製品として流通させるわけにはいかない。しかし、世の中には悪賢い奴がいて、これを横流ししたりして社会問題になる。この社会問題になること自体を目的とした愚行が現代芸術なのだ。社会を騒がせてやったぜ、というわけだ。現代芸術は難解だと言われるが、そんなことはない。ほら、ね、こんなに分かりやすいじゃないの。

私は、硬直化し惰性に流されている芸術界がそれでいいと言っているわけではない。旧弊な芸術界に挑戦し排除された悲運の芸術家は、確かにいる。近年再発見された例では、奄美大島で没した田中一村やロウソクの絵で知られる高島野十郎だ。実は野十郎の『月』

を私は既に一九六六年に見ている。しかも手に取って吸い込まれるように見ている。早稲田大学の川崎浹《とおる》先生の研究室でだ。川崎先生と野十郎の奇蹟のような交流は先生の『過激な隠遁』（求龍堂、二〇〇八）に詳しい。

この田中一村にしろ高島野十郎にしろ、作品そのものが感興を呼び起こす。一方、総じて現代芸術には、既存の芸術にケンカを売ってるんだぞというあさはかな理屈しか感じられない。理に落ちている。

田中一村や高島野十郎は再発見された。しかし、花火の魅力は再発見の必要さえない。既にここにあって進化しつつある芸術なのだ。それがコロナで経済的に大打撃を受けている。花火ファンだった山下清も泉下で嘆いているだろう。

（二〇二〇・九・四）

［補論］

花火が日本の誇る現代芸術であることは本論で述べた通りだが、実は花火には懸念すべき点がある。火事・火傷のことではない。それもあるにはあるが、どんなイベントにもありうる懸念だ。花火は、これに加えて環境汚染にも配慮しなければならない。江戸時代の花火には銃に使われる黒色火薬ぐらいしか火薬は使われておらず、含まれるのは木炭以外には硝化カリウム（硝石）と硫黄《いおう》だけであった。現在は、炎色反応が鮮やかな化学物質を含む火薬が使われている。花火大会の多くは浜辺や河原で催されるため、降下物による水質汚染が起きうる。これは技術的に解決可能なはずだから、今のうちに防止策を考えておかなければならない。

「終末」と「世紀末」

二〇二〇年八月三十日付朝日新聞は、この六月当年九十一歳の高齢で亡くなった五島勉の著作『ノストラダムスの大予言』の社会的影響をふり返っている。一九七三年刊行のこの本は、一九九九年七月に空から恐怖の大王が降ってくると「予言」し大ベストセラーとなった。「なぜ受け入れられ、何を残したのか。終末を迎えぬまま20年経ったいま、改めて考えてみた」。オイルショック、公害の深刻化などの社会不安の風潮があり、やがてオウム真理教にも影響を与えることになった、とする。

おおむね納得できる内容だ。しかし、私はここに言葉の誤用を付け加えるべきだと思う。言葉の誤用がノストラダムスやハルマゲドン（最終戦争の場所。転じて最終戦争そのもの）の連想を生んだ。そして今なおこの誤用に気づかない人が多い。

産経新聞に「World Watch」という不定期連載記事がある。筆者は宮家邦彦。外交官を経て現在はシンクタンクの主幹を務めている。しばしば重要な知見が載り、私も愛読しているのだが、五月二十八日付には、おやおやと思った。

「今も世界では『思慮深いが根拠のない』楽観論と『世紀末的』悲観論が飛び交っており
…」

世紀末的悲観論って何だろう。

「週刊新潮」には日赤医療センター化学療法科部長の里見清一が「医の中の蛙」を毎週連載している。これも私は愛読しているのだが、九月十日号にはこんな一節を見つけた。

「五島勉『ノストラダムスの大予言』も、世紀末と相まって多くの絶望的若者を生み出し、オウム真理教が浸透する素地になった」

ノストラダムスが世紀末とどう「相まつ」のだろう。

宮家邦彦も里見清一も世紀末には災厄が起きると思っているようだ。それは「世紀末」ではなく「終末」である。聖書の黙示録《もくしろく》に描かれた天使の軍隊と悪魔の軍隊が闘う世界最終戦争のことだ。字面《じづら》は似ているが意味は全然違う。

小さい順に「末」を考えてみよう。週末に何か災厄が起きるだろうか。月末はどうか。年末はどうか。これらはだいたい楽しい行事が控えている。世紀末は、特に楽しくはないけれど、別に災厄が起きたりはしない。

歴史上に十五回起きた世紀末のいくつかを検証してみよう。なぜ十五回かと言うと、紀元前には当然西暦はなく、五二五年にローマで制定されたからだ。

さてその世紀末だが、七世紀末にはランゴバルト王国が起こる。八世紀末には平安朝成立。十二世紀末には鎌倉幕府開設。十五世紀末にはコロンブスの新大陸到達。十六世紀末には関ヶ原の合戦。十八世紀末にはフランス革命。いずれも歴史発展の契機となった。もっとも、負けた方、侵略された方からすれば災難だが、それでも世界最終戦争ほどではない。

文化史用語で「世紀末文化」という言葉がある。これは「十九世紀末的風潮」という意味である。十九世紀の末期、ボードレールやワイルドなど頽廃的で背徳的な文学や美術が流行した。これが世紀末文化だ。十九世紀末特有の現象である。英語ではこの意味の「世紀末」をdecadent（頽廃的）と言う。

（二〇二〇・十・二）

［補論］

念のために五島勉『ノストラダムスの大予言』に「終末」という意味で「世紀末」が誤用されているか調べてみた。ところが、これが見当らないのだ。ノストラダムスの予言書の引用では「世界が終末の時期に近づくとき　サチュルヌはいまだなお後退に遠く」とあり「終末」としている。五島の地の文でも「ただそれを末世のひとつの標識としてとらえているだけだ」と、仏教語を正しく使っている。聖書の引用箇所でもイエスの言葉を「世界の終わりには、多くの者が私の名を名乗ってあらわれる」と正しく引用している。また「超汚染にしろ、核戦争にしろ」「その絶望が終末観と結びつく」とも書いている。要するに、終末、末世、世の終わり、終末観、など、目につく限り誤用は一箇所もない。この『大予言』の初版は一九七三年である。そうだとすると、「終末」を「世紀末」とする誤用は、誰がどこで始めたのだろうか。

キュレーションの力

芸術の秋でもあるので美術展の話をしてみよう。私は学生時代から美術館によく行くが、近年はマンガ系のミュージアムの顧問などを務めているため、展示する側の視点で美術を考えるようになった。

美術館にはキュレーターという職種の人たちがいる。学芸員とも言う。展示企画や作品解説を担当する館員で、その仕事がキュレーションである。キュレーション次第で展覧会の成否は決まる。

公的な美術館ではないが、画廊の展示会にも同じことが言える。二〇一八年十二月六日号「週刊新潮」に、銀座の画廊ジャンセンギャラリーのコレクション展の大きなカラー広告が掲載された。ルノワールの二作品のうち一つは『テーバイのオイディプス王』で、これが目玉作品らしい。解説文は次の通りだ。

「古代ギリシャ三代《ママ》悲劇のひとつ、ソポクラテスが紀元前に書いた『オイディプス王』の劇的クライマックスシーンを54歳のルノワールが美しい色彩で詩情豊かに謳い上げている」

うーん、三大悲劇詩人に「ソポクラテス」なんていたかな。ソポクレスとソクラテスの両方の血筋を引く詩人なのかも知れんが。

新潮社の校正者がこれを見逃すとは思えないので、広告を制作した代理店のミスだろう。

私自身展示品のキャプションを読み違えたこともある。

だいぶ昔のことなので美術館名も作者名も記憶にないのだが、タイトルに一瞬惹きつけられた。『ヨーロッパの略奪』とあったからだ。大航海時代に、ヨーロッパ勢はアメリカ大陸やアフリカ大陸で略奪を働いたが、その蛮行を描いた絵なのか。逆に、モンゴルやトルコのヨーロッパ侵寇を描いたのか。と思って絵を見たが、それらしい描写はない。美しい女性が逃げまどっているだけだ。ああ、これはギリシャ神話の『エウローペの略奪』のことだと気付いた。ゼウスが牡牛に変身して美女エウローペを連れ去る話なのである。

英文のタイトルにも驚いた。The Rape of Europaである。美術品のタイトルにRape（強姦）とあるのも意外だったし、この語には「略奪」の意味があることも知った。

今年二〇二〇年正月、三重県立美術館の関根正二展に行った。この美術館の雰囲気も展示作品もすばらしかった。関根正二は、青木繁と並んで私のお気に入りである。関根の代表作『信仰の悲しみ』は既に大原美術館などで何回か見ているが、戦慄に近い感動を覚える。

今回時間をかけて鑑賞したので新しい発見があった。

将来の国宝候補に挙がるこの傑作、もとは『楽しき国土』というタイトルだった。友人の助言で『信仰の悲しみ』に変更されたという。こちらの方が断然いい。しかも、キリシタンの殉教を描いたように見えるこの絵は「日比谷公園の公衆便所から女性の群が出てくる幻影を見た」（図録）のをもとにしたのだ、という。聖と俗の混淆。天才の狂気とも言える飛躍をキュレーションによって知った。

（二〇二〇・十・十六／二十三）

〔補論〕

関根正二も狂気を孕んだ天才だったが、青木繁もまた然りであった。青木の伝記は、マンガ家一ノ関圭が「夢屋日の市」名義で描いた「らんぷの下」が佳品である。同じように東京藝大に学んだ縁があるのかもしれない。今ではあまり知られなくなったが、青木の息子も孫も著名な芸術家で、少なくとも息子は天才と狂気も受け継いでいる。息子・福田蘭童と孫・石橋エータローの回顧談を集めた『画家の後裔』（講談社文庫、一九七四）に詳しい。福田蘭童はラジオドラマ『笛吹童子』のテーマ曲の作者、演奏者であるが、艶福家、というより女癖が悪く、金銭がらみの結婚詐欺で懲役刑になっている。破滅型の芸術家である。その息子がクレージーキャッツのメンバーだった石橋エータローで、やはり優れたジャズピアニストだった。後に料理研究家として名を成したのが、むしろ意外な感がある。『画家の後裔』も例によって古書価が高くなっている。

軍事技術忌避の意義

日本学術会議の会員候補が菅義偉首相によって任命拒否された問題がマスコミをにぎわしている。いくつもの学術団体がこれに抗議声明を発表しているが、世論の反応はむしろ鈍く、同会議が日本学術会議法に基づく一種の国営団体である以上何らかの人事介入はありうる、という声が強い。

本来、学術会議は完全非政府団体にすべきなのだ。そうすれば政府による干渉はありえない。これは日本共産党が政党助成金制度に反対し、苦しい党財政の中でも助成金受け取り拒否を貫いているのと同じだ。助成金制度は官制政党化への第一歩だとするのは、正しい指摘である。

私は三年前の二〇一七年にも本欄で学術会議への批判の一文を草しておいた（『日本衆愚社会』所収）。それは同会議が軍事目的での科学研究を行なわないという方針を再確認したからである。軍事研究は、戦争をするためにも、戦争を防止するためにも必要ではないか。戦争には侵略戦争もあればレジスタンス戦争もある。革命戦争もあるしそれを鎮圧する戦争もある。いずれの戦争のためにも、またいずれの戦争を回避するためにも、軍事学は無視できない。

政府の学術会議への干渉意図は、旧民主主義科学者協会系の研究者、要するに共産党系の研究者が多いので、これを排除しようというものらしい。愚かな考えである。一九四九年の設立以来何度も軍事研究をしないと宣言してきた人たちのどこが危険なのか。

公安調査庁は、共産党は今なお暴力革命の可能性を否定していない、と公報しているが、とても信じられない。共産党が暴力革命の可能性を否定しないのは、これを否定すれば共産主義者を名乗れなくなるからである。共産党は一世紀前から非暴力革命の共産主義者を痛罵し、それを自分たちの正統性の証しとしてきた。だから共産党は暴力革命放棄を宣言できないのだ。一方、公安調査庁は、暴力革命を放棄しない共産党の危険性を強調することで自分たちの存在意義を確立できる。共産党と公安調査庁の双方の思惑《おもわく》が一致している。私はこれは一種の出来レースだと思う。

終戦期、共産党指導の騒擾事件が多発した。そのうちのいくつかは警備当局が舌を巻くほど用兵術が上手かった。当局は旧軍の関係者がデモ隊を指導したと見ている。旧軍は「鬼畜米英」、デモ隊は「反米」、旧軍が関与したとしても不思議ではない。ベトナムではベトコンの前身ベトミンに旧日本軍の軍人が加わりベトナム独立戦争を支援している。

それから二十年ほど後、私の学生時代。いくつもの大学で学生叛乱が起き、校舎がバリケード封鎖された。そこへ眼光鋭い老人が現われ、バカモノ、こんな子供だましのバリケードで機動隊の攻撃を防げるものかと叱りつけ、バリケードの積み直しを命じた。事実、その老人が指導した校舎のバリ封鎖は強かった。老人は旧軍人だったらしい。

やがて軍事技術が忘れられて、学生たちはおとなしくなった。なるほどこれはこれで悪くはない。

（二〇二〇・十一・二十七／十二・四）

［補論］

一九六〇年代後半、学生叛乱とともに市民運動も盛んになった。一九六五年結成のベトナム反戦を訴える「ベ平連」がその典型である。ベ平連は初期と後期では運動も参加者層も少し違うが、ベトナムに軍事介入するアメリカを批判することでは一貫している。

このべ平連に初期の段階では、戦前から続く純正右翼の団体、玄洋社の杉山龍丸が加わっている。また、中心メンバーであった小田実《まこと》は一九六四年の『日本の知識人』で、日露戦争や大東亜戦争の一面肯定論を述べている。保守派の林房雄の『大東亜戦争肯定論』が左翼の総反撃にあったのが一九六三年、その翌年のことだ。そうした時代状況を考えると、大東亜戦争を真摯に闘った旧軍人が共産党の武装闘争やその後の学生叛乱に加勢したとしても不思議はないのである。

表現の自由と本居宣長

私が住む名古屋の町角に「表現の自由を守りぬく。」と大書したポスターが目につく。日本共産党のポスターだ。私の評論分野の一つはマンガだが、マンガはこれまでしばしば「表現の不自由」を強いられてきた。警察、婦人団体、教育団体などがその主役で、共産党系文化人もこの風潮に同調的だった。共産主義の本家ソ連、支那、北朝鮮では、そもそも表現の自由など存在しない。

それがなぜ唐突にこんなポスターをと思ったが、併記された「知事リコール運動反対」の一句で理由が分かった。昨二〇一九年物議をかもした「あいちトリエンナーレ」を巡って、県知事リコール運動が起きたからである。これを批判しているのだ。この運動についてては機会を改めて論じるとして、ここでは表現の自由そのものについて考えてみたい。

表現の自由の本質的根拠って一体何だろう。憲法や人権宣言を挙げる人が多いだろうが、それは法律という「制度」である。これが改廃されたら根拠にはならない。つまり本質的ではないのだ。我々は健常者であれば足を左右交互に出して歩く。障害があれば足をひきずって歩く。どう歩こうと「自由」である。この自由は法律や制度を根拠にしていない。もともと本質的に自由なのだ。

芸術、すなわち表現行為、表現作品も、これと同じである。芸術は倫理や政治とは別のものなのだ。このことを早くに指摘したのは本居宣長である。宣長の最初期の著作に『排蘆小船《あしわけおぶね》』がある。これは歌論つまり文学論だ。その冒頭にこうある。

まず対論者が問う。

「歌は天下の政道をたすくる道也」、よって単なる娯楽と思うべきではない。どうだろうか。

宣長が答える。

「非也《ひなり》（ちがう）。歌の本体（本質）、政治をたすくるためにもあらず、身をおさむる（人格修養する）ためにもあらず。ただ心に思う事を言うほかなし」

歌・文学・芸術は政治や道徳のためにあるわけではない。

「（歌の中には）政《まつりごと》のたすけとなる歌もあるべし。身のいましめとなる歌もあるべし。また国家の害ともなるべし。身のわざわいともなるべし」

歌の中には、確かに政治のためになるものもあるし、教訓となるものもある。さらに「国家の害」となるものもある。ろくでなしになってしまうようなものもある。

それでも「もののあわれ」（心をふるわせる）を感じさせる作品は名作なのだ。

私はいくつかの大学でマンガ論の講義をしてきたが、初日は『排蘆小船』だ。受講生は目を輝かせるのが半分、目をつむるのが半分。

宣長は『石上私淑言《いそのかみのささめごと》』でも同旨のことを述べている。宣長が影響を受けた荻生徂徠も『論語徴《ろんごちょう》』で『詩経』を同じように論じている。しかし、講義ではそこまではやらない。全員が寝るからだ。

ところで、トリエンナーレを批判し知事リコールを叫ぶ人たちは「芸術は国家の害」となることを知らないのだろうか。

（二〇二〇・十二・十八）

［補論］

荻生徂徠が『論語徴』で『詩経』を論じているのは、子路《しろ》篇第五章においてである。

以下、平凡社東洋文庫版をもとに解釈を交えながら説明する。

徂徠は次のように言う。

論語に「詩経の詩三百篇を誦《しょう》し…」とあるが、朱子は『論語集注《しっちゅう》』で「詩は人の本来の情《じょう》に基き…」と解釈している。悪い解釈ではない。しかし、朱子は、人の情《じょう》をもとにして正義・道理を教えようとする。だから、正義・道理を離れて詩を理解することができない。確かに、訓告の書である書経《しょきょう》には聖賢たちの格《ただ》しい言葉が書かれている。だが、詩経は違う。「その言《げん》は以って教えと為《な》すべきものなし。しかれども人情（人間の本来の感情）を尽すは『詩（詩経）』より善《よ》きはなし」。

「書経には倫理・道徳が説かれている。ところが、文芸の書である詩経には、教えとなるような訓告はない。しかし、人間の感情を描き尽したもので詩経を超えるものはない」と徂徠は言うのだ。芸術と倫理は、芸術と政治は、いずれも別のものなのだ。現代で言えば、当然、人権イデオロギーに反する優れた芸術も、民主主義イデオロギーを否定する優れた芸術もある。もちろん、それは人間の性情（本性の情態）を描いた場合である。

徂徠・宣長を超える芸術論を、私は現代の芸術論者に見たことがない。

血統と法度

秋篠宮家眞子内親王の婚約・結婚関連の報道がマスコミをにぎわしている。マスコミがあれこれ詮索することになるのは、血統・世襲による天皇制の本質的問題が根底にあるからだ。血統によらない帝政であれば、同じ事態が起きてもこれほどの騒ぎにはならない。

というと、血統によらない帝政なんてあるのかという声も聞こえてきそうだが、世界史の授業で暗記させられたローマの五賢帝のうちには傍系の人もいるし、全く血縁のないトラヤヌス帝もいる。これは二〇二〇年末刊行の本村凌二『独裁の世界史』でも論じられている。

皇帝と天皇は別ものと思う人もいるかもしれないが、「大日本帝国」は「皇国」である。英語では皇帝も天皇もどちらもEmperorだ。

皇室に親しみを持つ国民がふえていると言われながら、天皇制そのものについては知られていないことは多い。女系・女帝など「お世継ぎ」問題は関心を持つ人も出てきたが、これと関連する「尊号一件（尊号事件）」はほとんど知られていない。これは江戸後期に勤皇運動とからんで問題となり、明治になってからも後を引いた。

かく言う私も二十数年前、吉村昭『彦九郎山河』を読むまで知らなかった。日本史の教科書だけでなく受験参考書の井上光貞『日本史』にも一行も触れられていない。

さすがに平凡社の『日本史大事典』には出ている。

「江戸時代後期、光格《こうかく》天皇がその父である閑院宮《かんいんのみや》典仁《すけひと》親王に太上《だいじょう》天皇（譲位した後の天皇）の尊号を贈ろうとして、幕府に拒否された事件」

光格天皇は第百十九代天皇である。しかし、その先帝第百十八代天皇、後桃園天皇は光格天皇の父ではない。祖父でも伯父でもない。後桃園天皇から四世代（皇位では五代）溯った東山天皇から分かれた閑院宮直仁《なおひと》親王の孫に当たるのが光格天皇である。

現在、皇位継承者がいなくなる事態を避けるため「宮家復活」を検討する声があるのも、こうした先例があるからだ。

だが、ここにもう一つ問題が生じた。『彦九郎山河』から引く。

「〔光格〕天皇は、父典仁親王が『公家諸法度』の規定によって、その席次が五摂家と大臣の下位とされ、路上で大臣に出会う折も輿《こし》からおりる定めになっているのを痛々しく思っていた」

要するに、光格天皇は遠縁の先帝から皇位を継承したのはいいが、存命の実父は宮廷での格が低く、上級の貴族の前で頭を下げなければならなかったのだ。そこで「上皇の号を贈ろうと考えた」のだが、幕府はこれを拒否する。

高山彦九郎ら勤皇派の人士は「天皇の孝心から発した」要求を幕府はなぜ容れぬかと怒りを新たにしたが、幕府は「君臣の名分を私情によって動かすべきでない」(『日本史大事典』)と拒否した。

ここに心情論(天皇側)と法律論(幕府側)の対立が観察できる。

さて、明治維新を経て明治十七年、典仁親王は明治政府によって慶光《きょうこう》天皇と諡号《しごう》が追贈《ついぞう》された。

(二〇二一・一・一/八)

[補論]

天皇制を考える上で読みやすく興味深い良書を三冊紹介しておこう。いずれもロングセラーとなっている。

今谷明『武家と天皇―王権をめぐる相剋』（岩波新書、一九九三）　戦国末期から江戸初期の統一権力成立期の朝廷と幕府の関係を論じている。「秀吉はなぜ関白となったか」など、言われるまで気にもしなかった。

藤田覚『幕末の天皇』（講談社学術文庫、二〇一三）　光格天皇についても詳論してある。原著は一九九四年。

山川三千子『女官―明治宮中出仕の記』（講談社学術文庫、二〇一六）　聡明な女官の目で見た宮中、また天皇の記録。原著は一九六〇年。

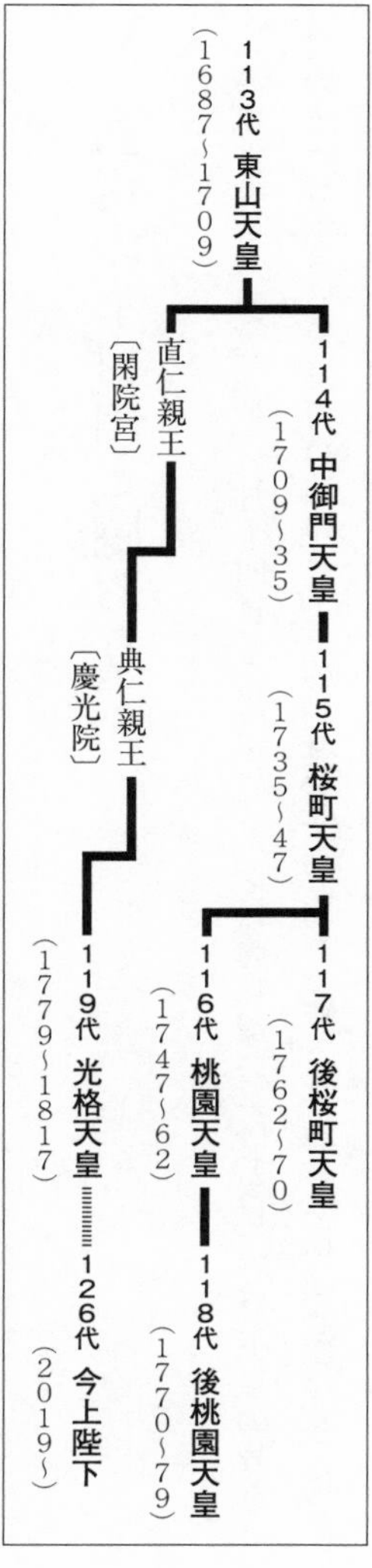

表現の不自由と闘おう

「週刊文春」二〇二一年一月十四日号の広告ページに興味深い一文を見つけた。「イタリアのチョコブランド『DOMORI』の創業者」の協力でチョコに合う梅酒が完成したという。ラテン文字とはいえ大ぴらにDOMORIと書けるようになったのか。しかし片仮名で「ドモリ」とは書けないのだろう。チョコと障害は無関係なのだけれど。

最近コロナワクチン開発をめぐって「二重盲検法」という言葉を見聞きすることが多い。開発中の新薬の効果を確認する際、暗示効果を排除するため、実薬と偽薬の違いを医師にも被験者にも分からないように「二重に隠して」服用させる実験方法のことだ。これは英語のdouble blind testの直訳である。「盲腸」も英語ではblind gut、「盲点」もblind spotだ。「色盲」もcolor-blindだが、日本語の「色盲」は禁止語だ。じゃあ「色に不自由な人」とでも言うのかと思えばそうではなく「色覚異常」と言えという。なぜ「色盲」に限って禁圧されるのか。この種の表現規制は二重三重に不合理である。

優れた芸術作品が抹殺される例は跡を絶たない。

木山捷平《しょうへい》（一九〇四～一九六八）という詩人・小説家がいる。四十年ほど前には全集も出ており、今も愛読者は多い。しかし、木山の名詩一篇が現在は読むことはおろか、論じることも憚られている。現代表記に改めて全文紹介する。

メクラとチンバ

お咲はチンバだった。
チンバでも
尻をはしょって桑の葉を摘んだり
泥だらけになって田の草を取ったりした。

二十七の秋
ひょっくり嫁入先が見つかった。

お咲はチンバをひきひき
但馬から丹後へ——
岩屋峠を越えてお嫁に行った。

丹後の宮津では
メクラの男が待っていた。
男は三十八だった。

どちらも貧乏な生い立ちだった。
二人はかたく抱き合ってねた。

簡潔素朴な表現でありながら読む者の胸を打つ名品である。この詩を収録した詩集も書名は『メクラとチンバ』。その古書価は数万円に暴騰しており容易に入手できない。

昨二〇二〇年末本欄で日本共産党が「表現の自由を守りぬく」キャンペーンをしていることを取り上げた。確かに共産党も表現の不自由に苦しめられてきたからだろう。共産党の文献には「上部構造と下部構造の跛行的進行《はこう》」なんて出てくるし、レーニンには『共産主義における「左翼」小児病』という著作がある。これらの基本書が「不自由」になっては由々しき事態だ。そこで提案がある。これまで私は共産党をあれこれ批判してきた。しかし、それは水に流し、私と共同戦線を組まないか。私と共産党とでは世界観は大きく異なっているが、大異を捨てて小同に就こう。表現の不自由と闘うために！

（二〇二一・一・二十九）

［補論］

木山捷平の詩集『メクラとチンバ』は容易には入手できないが、『木山捷平全詩集』（講談社文芸文庫）に「メクラとチンバ」も収録されており、ここで読むことができる。ただし、これも古書でしか入手できず、古書価は二千円ほどしている。

ピラミッドの頂点の大学

二〇二一年一月十九日付朝日新聞夕刊が「鼻出しマスク受験生逮捕」を大きく報じている。十六日に行なわれた大学入学共通テストの受験生がマスクから鼻を出したまま試験に臨み、再三注意を受けたがそれに従わなかったのだ。逮捕の直接の理由は、その後会場のトイレに四時間閉じ籠ったので建造物不退去容疑だという。私が併読する他紙もほぼ同旨の内容だが、朝日の記事が大きかったのは、疫学の専門家による「鼻出し『感染のリスク』」の解説が付いていたからだ。容疑者の男が「これが自分の正しいマスクの着用である」と主張している（同朝刊）ためだろう。

受験生には迷惑だったが、これも派生的なコロナ禍といえようか。

さて、この鼻出し氏、相当変な人のようだ。現時点では四十九歳の男としか分からない。中年過ぎての大学受験というのも珍しくはあるが、それなりの理由があるのだろうか。だとすれば、鼻出しマスクぐらいに固執して受験失格の道を選ぶのが解《げ》せない。

この事件に私が関心を持つのは、私もこの歳で再入試を考えていたからだ。私は自分の最終学歴にずっとコンプレックスを抱いていた。私の卒業した大学は、普通の就職にはまずまずのランクだが、文筆業界では有象無象《うぞうむぞう》の扱いだ。むしろ、司馬遼太郎が卒業した大阪外語大学蒙古語学科とか大城立裕《たつひろ》が中退した東亜同文書院など、ニッチな大学が学歴マウンティングの頂点に立つ。そもそも大学はおろか高校・中学さえ出ていないとなると、圧勝である。推理小説界の雄、松本清張。書誌学の巨人、森銑三と柴田宵曲《しょうきょく》。いずれも尋常小学校卒だ。

そこで私は工業高校卒、いや工業高校中退という学歴で箔をつけようと考えた。合格後入学手続きだけして翌日退学届を出せば、学費もほとんどかからない。友人の教育学者に一応相談してみると、彼は笑って、そりゃ駄目だよ、と言う。お前、何か企らんでるな、とも言う。私が高校生を煽って全学ストライキでもやらせようと企らんでいると思ったらしい。六〇年代じゃあるまいし…、私は別のことを企らんだのだが。

私の計画を話すと、彼は「過年度生」だから入学拒否されると言った。高校は義務教育ではないので何度でも入学できるけれど、病気や転居による再入学以外、年長者の入学は通常認めないのだ。

昨二〇二〇年十月七日付朝日新聞朝刊のオピニオン欄のテーマは「学歴なんて関係ない？」である。三人の論者が発言しているが、女性誌などのライター、野原広子の〝告白〟が面白い。

「40歳を目前にした2年ほど『学歴詐称』していました。詐称内容は『早稲田大学』。本当は茨城県の農業高校卒です」「今、笑いながら話せるのは、自分を面白がれるライターという職業だから」「農業高校卒も学歴詐称の過去も、いまでは私の『学歴自慢』」

二回転三回転して、私の感覚と共通するところがある。今回、世界有数の超難関カイロ大学の話をしようと思っていたんだけど、完全に脱線して脇道にそれてしまったな。

（二〇二一・二・十二）

［補論］
何年か前ターミナル駅の連絡通路の壁に予備校のポスターが貼ってあるのが目に入った。「何で私が早稲田に」と書いてある。そんな愚痴を言ったってしょうがないんだよ、この予備校に通って来年は目標校に入れよ、と思ったのだが、ポスターの中の若い女性

はなぜか微笑んでいる。変だなと思って壁の横を見ると「何で私が慶應に」「何で私が東大に」などが並んでいる。やっと分かった。この女性は喜んでいるのだ。「何で私が」の意味を私は正反対に誤解していたのだ。日本は学歴社会になっていると批判されて久しいが、全然学歴社会じゃないなと、私は安心した。

珍名あり不自由名あり

河井案里前参院議員の二〇一九年の公選法違反事件が有罪確定となった。判決は執行猶予付きでもあり、選挙がらみの小事件である。特に論評するようなこともないのだが、私が気になるのは「案里」という名前だ。名前は通常親がつけるものだ。当人には何の責任もないけれど、この名前を最初耳にした時、ちょっと驚いた。この人、海外、特に欧米へ行った時、変な名前だなと思われるぞ、と。

アンリは、フランス人の男性名、英語ならヘンリーだ。歴史作家のアンリ・トロワイヤ、画家のアンリ・マチスなど、皆男性である。でも、女性のシャンソン歌手でイベット・ジローもいるじゃないか、という声も聞こえてきそうだが、このジローは姓である。フランス語では姓による男女区別は普通ないはずだ。いや、それでも、アンリと似た名前のアンヌは男女ともに使うぞ、と言う人もあるかもしれない。確かに、十六世紀の軍人にアンヌ・ド・モンモランシーがいるけれど、これはきわめてまれな例である。

歌手の沢田研二の愛称はジュリーだが、これは本来女性名である。沢田がジュリー・アンドリュースのファンであったところから付けられた愛称だという。

伝統的な日本人名で男女ともに使われるものもある。薫《かおる》、操《みさお》などは、用字を変えながら男にも女にも使う。井上馨、藤村操は男、高村薫、松原操は女である。労作『日本の女性名』の著者、角田文衛の名は「ふみえ」ではなく「ぶんえい」で、男性歴史学者だ。

名前問題は実は奥が深い。

かつて、マンガなどでは善玉は善玉らしい名が、悪玉は悪玉らしい名が付けられた。今も懐しく語られる昭和三十年代、少年たちを熱狂させた『赤胴鈴之助』の悪玉には、子供心にもいくら何でもこれはないだろうという名前が付けられた。鎖鎌《くさりがま》を使う火京物太夫《ひきょうものだゆう》が典型で、その名ゆえに逆に子供たちの記憶に刻み込まれた。

しかし、海外に目を転じると同様例、それも実在の人物がいる。

俳優であり脚本家・監督でもあり『八十日間世界一周』に出演していたノエル・カワードだ。カワードは「卑怯」。珍しい姓ながら本名である。ノエルは男性、女性ともに使われる。それかあらぬかノエル・カワードは同性愛者であり、生涯独身だった。

もっと珍しい名は、ソ連解体の主役でありノーベル平和賞受賞者であるミハイル・ゴルバチョフである。

この「ゴルバチョフ」は「せむし」と同源語だ。ロシヤでもあまりない姓だが本名である。由来はよく分からない。

今では「表現の不自由」の対象になり事実上発禁になっているロシヤの童話に『せむしの仔馬』がある。バレエやアニメにもなっている。原語では「カニョク・ゴルブノク」。カニョクはポニーの一種。ゴルブノクとゴルバチョフは同系語である。二〇一六年岩波少年文庫から『イワンとふしぎなこうま』と改題されて新訳が出た。するとゴルバチョフは「ふしぎなせいじか」なのだろうか。

（二〇二一・二・二十六／三・五）

［補論］

『せむしの仔馬』の背景には、奇形などネガティブな存在には神が宿るという宗教的習俗があるのかもしれない。グリム童話（民話）にも似たような話が散見する。人名に「悪」の字を入れる風習にも、それに近いものが感じられる。悪の力強さ、エネルギーである。

源義朝の庶子、源義平は悪源太と呼ばれていたが、これは悪い奴という意味ではなく、猛々しい男という意味で武人にふさわしい。狂言にも悪太郎が出てくる。もっともこちらは改心して僧になる。小説家今東光《こんとうこう》の半自伝的作品『悪太郎』は乱暴者のバンカラ青春記で、やはり社会規範に従わないエネルギーが漲《みなぎ》っている。アゴタ・クリストフ『悪童日記』は、邦題ではそうなっているが、原題は「大きな手帳」である。確かに、悪童と言えば悪童であるのだが。

できるのはそこまで

この二〇二一年二月十三日「週刊新潮」からコメントを求める電話があった。森喜朗オリ・パラ組織委会長の「女性蔑視発言」が問題になっているが御意見をうかがいたい、という。ああ、それは森喜朗が低学歴だからだね、と、私は答えた。受話器の向こうで、記者が笑っているのが分かる。でも、こんなコメント、記事にできないよな、と私。一応デスクに聞いてみますが、と記者。

なかなかしっかりした記者だ。学歴問題は脇へ置いといて、森発言バッシングについては…と、私は三十分ほど話をした。

同誌二月二十五日号では、限られた字数内でよくまとめている。

「こうした風潮を評論家の呉智英氏はこう斬る。『寛容になれという不寛容』が蔓延《はびこ》っている」

私の念頭には、昨年末に出た森本あんり『不寛容論』（新潮選書）があった。森本は二〇一五年には『反知性主義』がポピュリズム流行の風潮の中で話題となった。今度の『不寛容論』もいくつもの書評で取り上げられている。新大陸アメリカで寛容思想がどのように成立したか詳論し興味深い。しかも「寛容の強制」というパラドックスが成立することも指摘している。私が週刊誌でコメントした「寛容になれという不寛容」のことだ。

これは論理学・哲学で言う「自己言及のパラドックス」である。「全称命題のパラドックス」と言ってもいい。命題propositionとは、提案、提題、題を命《の》べる、という意味で、命とは無関係だ。

自己言及のパラドックスは、古く聖書にも出てくる。「(クレタ島人が言った)クレタ島人は嘘つきだ」(テトス書1・12)。じゃ、その発言(命題)自体が嘘ではないのか、ということになる。仮にこれが「クレタ島人の半数は嘘つきだ」なら、こうしたパラドックスは生じない。全称命題だからこういう逆説になる。部分《パート》命題ならパラドックスは起きない。

さて、寛容という規範について考えてみよう。これは、憲法や国際的宣言にもしばしば登場する大きな規範、いわば「全称的規範」ということになる。一方、小さな、部分的な規範も存在する。「早起き励行」などその一例である。勤め人や児童生徒などは早起きが励行されるべきだが、私などは九時前に起床したことがない。近所の新聞配達所の店主は、毎日十二時起きです、と言っている。もちろん深夜の十二時である。そうであれば、早起き励行が国際的規範になることはない。対するに、寛容はパラドックスが生じるような全称的規範になっている。

森本あんりは二月二十八日付産経新聞に寄稿し、「寛容は是認でも理解でもない」「是認できなくても、相手を拒絶せず」。「われわれにできるのはそこまでなのである」としめくくっている。

同じことは、自由、平等、人権についても言える。これだって全称命題のパラドックスが生じる。自由を否定する自由、平等に不平等を主張する権利、反人権主義者の人権。「我々」からも「彼ら」からも「できるのはそこまで」なのか。

（二〇二一・三・二十六）

［補論］

本文に出てくる「部分命題《パート》」という言葉は普通は使わない。全称命題universal p.に対する言葉は、特称命題particular p.か、単称命題singular p.である。この二つをまとめて便宜的に部分命題part p.としたものである。さて、クレタ島人のパラドックスはよく知られたものだが、ここに「観察者」という概念を導入すると、また話が変わってくるだろう。ビルのホールに大きな螺旋階段があり、その一階を歩く人を二階を歩く人が眺めた場合、どちらが先を行っていることになるのか、という問題だ。平面上では一階の人が先を行っているように見えても、現実には二階まで進んでいるからには二階の人の方が先を行っている。トラック競技の一周目と二周目、周回遅れと同じことだ。クレタ島人の場合、クレタ島の王が、我々クレタ島人は嘘つきばっかりだなと慨嘆したとすると、それも嘘だから駄目なのだろうか。この時、王は螺旋階段の二階から「見下ろして」いるのだ。おお、これぞ上から目線だ。この王がクレタ島人の民度向上に尽力したら、上から目線だからケシカランことなのだろうか。寛容という不寛容の場合も、同様の事態が生じる。寛容という不寛容は、寛容において一歩先んじた人に起きることなのだから。

人の嫌がることを言おう

二〇一六年初めから五年余り続けてきた本欄も今回でいったん区切りをつけさせていただく。これを機会に、評論家、言論人、思想家、知識人、という人たちの責務について考えてみたい。

私の小学校時代の話である。週訓だの月訓だのが定められ、その励行が求められた。その一つに「人の嫌がることをしよう」があった。なるほど、掃除当番はトイレ棟の裏の日当りが悪い場所はおざなりの掃除しかしなかったし、生物委員は水槽の死んだドジョウを捨てる仕事を嫌がった。先生は、人の嫌がる仕事ほど尊いのだとも言った。その通りである。そしてまじめな級友は人の嫌がることを率先してやった。私は、うーん、あんまり、ちょっと…。

大人になり、私は評論家になった。ずっと心残りだったあの訓戒を実践しようと決めた。言論人として、人の嫌がることを言おう。人の嫌がる発言こそ尊いのだ。人の喜ぶことを言えば、本は売れるし、民衆からもてはやされる。だが、人の嫌がることを言ったストックマンは、石をもて町を追われた。『民衆の敵』だったからだ。イプセンの戯曲である。

少し前のことになるが二〇〇九年九月二十日付朝日新聞の「私の視点」で相模女子大の河尾豊司准教授が「知的障害者　選挙権行使に工夫凝らそう」と提言している。「知的障害者には」「選挙公報の漢字がほとんど読める人は60人中1人」「投票用紙に字が書ける人は数人。50人以上が、そのままでは候補者を選べない」「人の比較は至難で、選挙目当ての美辞麗句も見抜けない」。だからこそ河尾は「1977年に国立市の選管と交渉し」「『指さし特定法』を認めさせた」「障害者が指さした人の名を代筆して」もらうのだ。

中小企業主の立場を代表する政治団体や政党がある。当然あってよい。農家を代表する政党、基地周辺の住民を代表する政党、教員を代表する政党なども同じだ。では、大規模な知的障害者施設を経営する政治的野心家がいて、ナチスを理想とする国家を作ろうと考えていたら、どうか。政治SFの描く悪夢が現実のものとなる。

三年前、文部省教科書『民主主義』が七十年ぶりに角川ソフィア文庫で復刊された。戦後の新たな政治イデオロギー民主主義を国民に啓発するための教科書である。それ故、民主主義の弱点をもあえて摘示してある。もちろん、それは克服可能だと結論づけるのだが。

例えば、こうだ。

「国民の政治常識が相当高まったうえでなければ、直接民主主義」に「よい効果は望めない」。

いや、間接民主主義だって同じでしょう。

「要するに、有権者ひとりひとりが賢明にならなければ、民主主義はうまくゆかない」

その通りだ。そして、有権者ひとりひとりが賢明になる社会など永遠に来ないのである。

今世紀に入って衆愚社会論が公然と語られるようになった。そういう時代に我々は生きている。

（二〇一一・四・九）

［補論］

産経新聞に桑原聡という優れた記者がいる。自分で記事も書くし、研究者・評論家に執筆を依頼して紙面に掲載したりもする。私も何度か原稿を書かせてもらった。桑原記者は昨年から隔週で「モンテーニュとの対話」という時評を連載している。モンテーニュを引用しながら社会現象を論じるわけだ。学ぶところが多いのだが、今年二〇二一年三月十九日付の記事だけは、私と考えが違う。その記事は毎日新聞の世論調査「最も評価している女性政治家」に社会党・社民党の土井たか子が挙がっていることを批判したもので、「土井が残したのは『山が動いた』『ダメなものはダメ』という言葉ぐらい」とする。しかし、私はそうは思わない。日本の政治家の発言で、この「ダメなものはダメ」ほどすばらしいものはないだろう。「ダメなものはダメ」。この簡単明白な真理が全く隠蔽され、誰も口にできなくなっている。「みんなちがってみんないい」だの「ダメなものなんていない」だの、真綿のロープで真実を縊《くび》り殺すような言葉ばかりが横行している。偽善・欺瞞・疑惑。三つのギが社会を暗黒化する。そんな現代社会に敢然と「ダメなものはダメ」と言い得た土井たか子はまさしくジャンヌ・ダークであったと、私は思う。

呉 智英［くれ・ともふさ］

１９４６年、愛知県名古屋市生まれ。早稲田大学法学部卒業。知識人論やマンガ論などの分野で執筆活動を展開。日本マンガ学会理事。主な著書に『封建主義 その論理と情熱』『バカにつける薬』『マンガ狂につける薬』『現代人の論語』『吉本隆明という「共同幻想」』『つぎはぎ仏教入門』『真実の名古屋論』『日本衆愚社会』など。近著に加藤博子氏との共著『死と向き合う言葉 先賢たちの死生観に学ぶ』がある。

編集：酒井裕玄

バカに唾をかけろ

二〇二一年 六月八日 初版第一刷発行
二〇二一年 七月五日 第二刷発行

著者 呉 智英
発行人 鈴木崇司
発行所 株式会社小学館
〒一〇一－八〇〇一 東京都千代田区一ツ橋二ノ三ノ一
電話 編集：〇三－三二三〇－五九五五
販売：〇三－五二八一－三五五五

印刷・製本 中央精版印刷株式会社

Printed in Japan ISBN978-4-09-825402-6